JN059047

ポスト・コロナ学

パンデミックと社会の変化・連続性、そして未来

秋山 肇 編

Post-COVID-19 Studies

Pandemic, Change and Continuity in Society, the Future

明石書店

はじめに

本書の背景

2020 年以降、新型コロナの感染拡大により、社会は大きな変化を余儀なくされている。公衆衛生の重要性が認識され、新型コロナによる死者や重症者等が多く確認された。その一方で、従来自明視されていた移動に制限が課され、経済活動や日常生活に大きな支障をきたした人も多く存在する。新型コロナにより受けた影響は人によって異なるものの、多くの人がコロナ禍以前には想像もできなかった生活を送っている。

編者が勤務する筑波大学では、新型コロナの影響の長期化が懸念されるなかで 2020 年 5 月に「新型コロナウイルス緊急対策のための大学『知』活用プログラム」が開始された。同プログラムは、研究成果の社会還元を通して新型コロナによる危機的状況の解消を目指す研究支援プログラムである。筑波大学のリサーチ・アドミニストレーター（University Research Administrator: URA）が構想し、ウイルス学、医学・生物学、健康科学、数理科学、情報学、教育学、社会心理学、社会政策学、法学、経済学、芸術学等の多岐にわたる分野の 27 プロジェクトが採択された。研究助成に加え、同プログラムウェブサイトの整備や[1)]、新型コロナに関連する研究に関心を持つ研究者を対象としたワークショップの実施により、専門分野を超えて新型コロナに関する知を共有する機会が用意された。

編者は上記の取り組みに加え、新型コロナに関する研究の経過、成果を学生にいち早く還元することに教育的価値があると考え、新型コロナに着目した授業の開講を構想した。そこで編者が呼びかけたところ 1 週間足らずで異なる専門分野を持つ 9 人の研究者に快諾いただき、編者を含む 10 人で、2021 年度春学期にオムニバス講義として「TSUKUBA 新型コロナ社会学」

1） 筑波大学「筑波大学『知』活用プログラム」（https://www.osi.tsukuba.ac.jp/fight_covid19/，2022 年 1 月 15 日最終閲覧）

を開講した。同時双方向のオンラインを基盤として開講した同科目は、自然科学、社会科学、人文学など様々な分野を専門とする200人以上の学生が履修した。この授業の経験を踏まえて、学際的な知で新型コロナについて検討する機会を社会に広く提供したいと考え、授業担当者に書籍化を打診したところ、全員の快諾をいただき本書の構想が実現した。本書は、同科目の講義内容をもとにしつつ、最新情報を盛り込み執筆されたものである。新型コロナに関する多様な研究を通して、本書が新型コロナが社会に与えた影響を明らかにし、新たな社会や学問のあり方を構想する「ポスト・コロナ学」構築の基盤となることを目指している。

本書の構成

本書は、5部11章構成である。第1部は新型コロナと公衆衛生・社会を検討する章により構成される。堀が執筆する第1章は、公衆衛生が科学だけでなく技術の側面を有すると述べ、歴史にも言及しつつ、感染症対策を検討する際に学際的な議論が必要であると指摘する。秋山が執筆する第2章では日本国憲法の視点から、歴史的に重視されてきた自由権に限らず、生命権や生存権との視点を重視して感染症対策を行う必要があると論じる。第3章ではマニエ-渡邊らが、在宅勤務により家庭と仕事のバランスが変化したことを指摘する。

第2部は、新型コロナと福祉や教育に関連した章により構成される。第4章では老年学を専門とする山田が、コロナ禍における高齢者の身体活動時間の減少を指摘し、オンラインを利用した身体活動の取り組みを紹介している。第5章では大村が、コロナ禍における家庭内での障害者の虐待や孤立の問題を調査し、行政や学校などによる支援が重要であると述べる。第6章では佐々木が、大学の授業のオンライン化を取り上げ、障害の有無にかかわらず学びやすいユニバーサルな授業のあり方を論じている。

第3部は諸外国も射程に入れて新型コロナの影響を検討する。第7章では明石らが、新型コロナが脆弱な立場に置かれがちな国境を越えた人々の生活に与えた影響を分析している。第8章では交通計画を専門とする谷口が、日英独における交通行動や衛生行動について比較分析した。

第４部はコロナ禍における芸術に着目する。第９章では、宮本がコロナ禍で急速に増えたディスタンス・アートを類型化し、災害や危機における芸術の役割を指摘した。第10章では池田が、ドイツに言及しつつコロナ禍での文化芸術への公的な支援やアーティストの実践を紹介している。

第５部はまとめとして、第４部までの10の章をもとに、ポスト・コロナ学を構築する際に検討すべき、新型コロナによる社会の変化と連続性について議論している。

本書の特徴

本書には、いくつかの特徴がある。第一に学際性である。新型コロナが社会に与えた影響は広範であるため、一つの学問分野のみで分析するのは困難である。そのために学際的な視点が求められる。しかし異なる分野を横断して理解するためには、それぞれの学問分野や研究者が拠って立つ異なる前提を理解する必要がある。そのため執筆者には、各章の基盤となる知識を示すように依頼した。各章では新型コロナに関連する最先端の研究に触れると同時に、様々な学問領域の前提となる知識にも触れることができるだろう。

第二に、各章にディスカッション・クエスチョンを記載した点である。新型コロナによって様々な変化が生じたため、従来の学問の蓄積のみでは新型コロナが社会に与えた影響を理解し解決策を提示することが困難である。そのため、各章の執筆者が特定の研究分野の専門家としての知見を示すだけでは新型コロナの理解や解決策の提示、ひいてはポスト・コロナ学の構築には不十分であると考えた。そこで各執筆者からディスカッション・クエスチョンを提示してもらい、読者の皆さんに考えを深めていただけるようにした。読者それぞれの視点、経験を基盤として向き合ってみてほしい。

第三に、本書が想定する読者が多様であることである。新型コロナに関する影響に関心を持つ高校生、大学生、研究者、一般の読者の皆さんいずれにとっても有益な書籍となることを目指した。高校生の皆さんには、大学での研究の一端に触れつつ、それぞれの学問領域の基盤的知識を得て、新型コロナについて考える契機となれば幸いである。大学生の皆さんには最新の研究に触れつつ、自らが専門として学ぶ分野との関係性を考える契機としてほしい。新型コロナは影響が広範だからこそ一般の読者にも読んでいただき、今後の社会について考えてみていただきたい。また多様な分野の研究者にも新たな社会や研究のあり方を構想する契機としていただければ幸いである。いずれの読者にとってもディスカッション・クエスチョンが、それぞれのこれまでの経験や学び、知見と新型コロナや今後の社会を考える際の結節点になるはずである。ディスカッション・クエスチョンに対する答えは、読者や研究者の皆さんの数だけあるだろうが、本書を読んでいただき、ディスカッション・クエスチョンに向き合う先に、ポスト・コロナで目指すべき社会や学問の役割が見えてくるはずである。

本書を読み進める際には、コロナ禍によって変わったこと（変化）、変わらなかったこと（連続性）の双方を意識してみてほしい。新型コロナは社会に大きな影響を与えたために、変化に目が向きがちである。しかし変わっていないこともある。変化と連続性の双方を冷徹に見つめることで、新型コロナが社会に与えた影響の全体像を明らかにすることができ、今後の社会を構想することができるであろう。

2022年1月

編者　秋山　肇

ポスト・コロナ学
——パンデミックと社会の変化・連続性、
そして未来

◉目 次

II. 新型コロナと福祉・教育

III. 新型コロナと日本、世界

IV. 新型コロナと芸術

I.

新型コロナと公衆衛生・社会

1 新型コロナ時代の公衆衛生の役割を考える

堀　愛

はじめに

新型コロナが日本に上陸した2020年以降の感染拡大状況とその対策、そして新型コロナによる社会の変化が人々に与えた健康影響を、公衆衛生の視点から概説する。公衆衛生とは、地域社会の組織的努力を通じて感染症を予防することを主な目的の一つとして、過去、数多の感染症流行の経験を経て発展してきたサイエンスでありアートである。本章では、公衆衛生の過去の経験に学ぶとともに、現在行われている新型コロナ対策を、「予防のレベル」という概念で整理する。その上で、予防接種、リスクコミュニケーション、健康格差という3つの切り口から、新型コロナ時代に公衆衛生が果たすべき役割を考える。

1. 公衆衛生とは

チャールズ＝エドワード・エイモリー・ウィンズロウ（Charles-Edward Amory Winslow）による公衆衛生の定義と、その日本語訳を示す。今からちょうど100年前、結核や肺炎が死因の上位を占めていた米国で、当時の新型インフルエンザ（いわゆるスペイン風邪）流行の直後に提唱された定義であるが、現代でも教科書等に広く採用されている。新型コロナ時代にも適用できる内容であるか、原文と訳文とを読んでみてほしい。

Public health is the science and the art of preventing disease, prolonging

> life, and promoting physical and mental[1] health and efficiency, through organized community efforts for the sanitation of the environment, the control of community infections, the education of the individual in principles of personal hygiene, the organization of medical and nursing service for the early diagnosis and preventive treatment of disease, and the development of the social machinery which will ensure to every individual in the community a standard of living adequate for the maintenance of health. (Winslow 1920: 30, 下線は筆者による)

> 公衆衛生とは、生活環境衛生の整備、感染症の予防、個人衛生に関する衛生教育、疾病の早期診断と治療のための医療・看護サービスの組織化、および地域のすべての人々に健康保持に必要な生活水準を保証する社会機構の整備を目的とした地域社会の組織的努力を通じて、疾病を予防し、寿命を延ばし、身体的・精神的健康と能率の増進を図る科学であり技術である。（全国保健所長会、下線は筆者による）

ここで、公衆衛生はサイエンス（科学・学問）であり、かつ、アート（技術・手技）である、と明示されている。サイエンスでありアートであるという点は、医療の定義と同じだ。医療は個（患者個人）を対象とし、公衆衛生は集団（地域・学校・職域等）を対象とする点が異なる。ここで、医師－患者関係を例に、サイエンスとアートとは何を意味するのか説明しよう。医学部を卒業したばかりの研修医や、日々論文を読む研究医は、サイエンスとして最先端の医学知識を頭に詰め込んでいるが、高度な医療を患者に提供できるわけではない。もしも患者として新型コロナに感染したら、誰しも経験豊富な臨床医の治療を望むであろう。つまり、経験に裏打ちされた精確な手技、すなわちアートが欠かせない。さらに、治療のメリットとデメリットをわかりやすく伝えるコミュニケーション能力や、安心感を与える態度も、アートである。サイエンスとアートとは両輪で、どちらかが欠けても不都合が生

1）原文では、physical health のみ。後年に、mental health が追加された。

じる。アートに欠けると、「あの研修は注射が下手で毎回失敗するから嫌だ」あるいは「あの医者はデータばかり見て、目の前の患者を診ない、ロボットのようだ」となる。サイエンスに欠けると、誤診をしたり、最適な治療が提供できなかったり、極端な例では非科学的な「トンデモ医療」に陥ったりする。新型コロナの予防効果が実証されていない特定の商品の購入を促したりする「トンデモ医療」の提供者が、時にSNS上で数多くのフォロワーを従える様子をみると、サイエンスなき卓越したアートの実践者なのかもしれない。

さて、公衆衛生の目的は、単に疾病を予防し、寿命を延ばすだけではない。より良く生きることも重要であると、ウィンズロウは定義する。そして、その目的の達成には、地域社会の組織的努力、すなわち政策決定者や様々な利害関係者が、チームとして取り組むものであり、たとえば専門家が孤軍奮闘するわけではない。組織的努力の内容としては、生活環境衛生の整備から、さらには社会機構の整備に至るまで、多岐にわたる。医療にとどまらず、環境や社会までとなると、公衆衛生の守備範囲が広すぎる、と怪訝に思うかもしれない。しかし、この点は歴史的にも明らかである。たとえば、英国民の呼吸器感染症死亡率は、1940年頃の抗菌薬の導入よりはるか以前、すでに1900年頃から劇的に減少しはじめた。医学史家のトマス・マキューン（Thomas McKeown）はその理由として、健康状態の向上において医療の貢献は重要だが限定的で、それよりも、食糧の安定供給や安全衛生の向上、そして産児制限の寄与の方が大きかった、と指摘している（McKeown 1976)。新型コロナ流行においても、医療や公衆衛生の専門家のみならず、社会全体で挑まなければならない課題が多い。

2. 新型コロナの疫学

(1) 2022年時点の新型コロナ

新型コロナウイルス感染症は、飛沫・接触を介して感染し、他人に感染させる期間は発症前2日から発症後7～10日程度である。感染のリスクが高まる要因として、3密（密閉・密集・密接）環境や、5つの場面（飲酒を伴う懇親会等、大人数や長時間に及ぶ飲食、マスクなしでの会話、狭い空間での共同生活、居場所の切り替わり）がある。重症化しやすい個人の要因として、高齢、糖尿病などの基礎疾患、喫煙、妊娠（後期）が知られている。

新型コロナは、2019 年 12 月に中国で初めて確認され、2020 年 1 月には日本に伝播、2020 年 3 月には世界保健機関（WHO）によって世界的な大流行（パンデミック）と認定された（国立感染症研究所）。日本国内の 2022 年 1 月時点の感染者数（死亡者数）は 200 万人（1.8 万人）、世界では 3 億人（550 万人）であり（国立感染症研究所）、日本は諸外国に比べて人口当たりの感染者数や死亡者数が比較的低い水準にある（厚生労働省 2022）。この間、各国由来の変異株が流入し、特に 2021 年の夏季オリンピック・パラリンピックの開催時期と重なった国内感染の第 5 波は、重症化率・致死率ともに従来よりも高いデルタ株の流行によるもので、感染者数・死亡者数ともにそれまでで最大の流行となった。2022 年 1 月からは、感染力の強いオミクロン株による第 6 波に入り、過去最大の感染者数が予想されている。一方で、新型コロナ発生からわずか 1 年後に、新型コロナワクチンが開発・実用化された。イスラエル、英国、米国では世界に先駆けてワクチン接種が開始されているが、いまだ新型コロナの制圧に至っていない。わが国では予防接種法改正による臨時接種の枠組みで、2021 年 2 月から医療従事者に、4 月から高齢者と持病を持つ患者への優先接種が始まった。その後 6 月からは 12 歳以上に対象者が拡大され、個別接種、大規模接種や職域接種が提供された。2022 年 1 月時点で全国民の 8 割に 2 回接種が完了しており、今後は 3 回目となる追加接種、さらに、5 歳から 11 歳の小児に向けたワクチン接種が推進されている。

⑵ 疫学を学ぶと数字がわかる

2020 年初めから連日、国内の新型コロナの感染者数・死亡者数が報道されている。2021 年 3 月以降、新型コロナは感染症法上、「新型インフルエンザ等感染症」に分類されており、診断した医師に全数報告が義務づけられている。その集計結果は都道府県経由で国の感染症発生動向調査（サーベイランス）として取りまとめられ公表されている。時に、“大阪府 100 万人あたりのコロナ死者数「インド超え」の衝撃”（日刊ゲンダイ 2021）など、セ

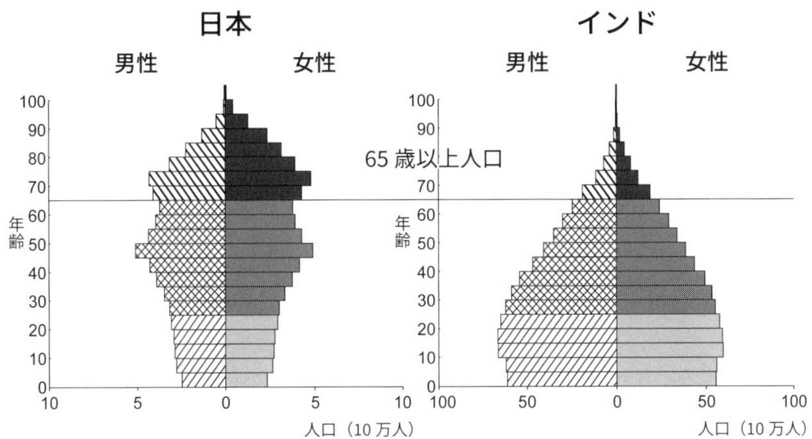

図 1　日本とインドの人口ピラミッドにおける、65 歳以上人口の違い
出典：United Nations Department of Economic and Social Affairs Population Dynamics を元に筆者作成

ンセーショナルな報道に遭遇することもある。この見出しを見て、日本の 1 都市と 1 国の死亡率を比較することに違和感を覚えたならばセンスが良い。では、具体的に何が問題なのか、指摘できるだろうか。

情報の真偽を見極めるためには、数字を理解することが重要だ。大阪（日本）とインドの新型コロナ死亡率を比べるならば、基礎的な知識として、両者の年齢分布の違いに気づく必要がある。日本は 65 歳以上の高齢者人口（高齢化率）が 29% と、世界で最も高齢化が進んだ国で、人口ピラミッドをみると「つぼ型」だ。それに対して、インドは「富士山型」、高齢者人口は 6.6% である（図 1）。新型コロナによる初期の死亡者の多くが高齢者であり、高齢者の多い国は、それだけ人口当たりの死亡者が多かった。年齢分布の違いを無視して国別の死亡率を単純に比べるだけでは、データを見誤ってしまう。異なる年齢分布の国や地域の死亡率を比較するためには、年齢構成を考慮した年齢調整死亡率を算出すべきである（Sudharsanan 2020）。年齢調整死亡率の計算式を下記に示す。基準人口集団としては、WHO が作成した世界標準人口などを用い、国内で都道府県の比較をする場合は、慣例的に昭和 60 年基準人口が用いられる。

年齢調整死亡率＝［（観察集団のある年齢階級の死亡率）×（基準人口集団の、その年齢階級の人口）］の全年齢階級の総和／基準人口集団の総人口（人口10万人当たり）

ところで高齢化率のほかに、出生や死亡といった基礎的なデータについては、毎年公表される人口動態統計を確認するとよい。2020年日本の出生数は84万人、死亡数137万人で、53万人の人口減少である。日本の死因の1位はがん、2位は心疾患、3位は老衰で、これらはいずれも加齢とともに増える病気だ。そのため日本の死亡率は、高齢化が進むとともに1970年代を境に年々上がってきているが、前述の年齢調整死亡率でみると、ほかの先進国と見比べて低い水準にある。なお、自殺は年間2万人を超えている。若年者の死因の1位は自殺であり、勤労者の長期病気休業の原因の1位は精神疾患である。つまり、精神疾患が日本の将来に与えるインパクトは大きいといえる。

以上のように、新型コロナの死亡率など集団のデータを計算したり、国別の年齢調整死亡率を比較したり、さらにはワクチン接種有無と死亡との関連を考察したりするために、必修の学問が疫学である。疫学Epidemiologyの語源は、ギリシャ語で上（epi）、人々（demos）、学問（logos）である。疫学の定義は以下のとおりである。

特定の集団における健康に関連する状況あるいは事象の、分布あるいは規定因子に関する研究、さらには、そのような状況に影響を及ぼすDETERMINANTS規定因子の研究も含む。（Porta編2010: 106）

疫学の強みは、生物学的なメカニズムが十分に解明されていない病気の予防、対策にも役立つ点にある。たとえば19世紀半ばのロンドンでコレラが流行した際、医師のジョン・スノウ（John Snow）はコレラ死亡者の分布を地図上に記し、水道を介した感染経路を推測することで、汚染水の供給源となっていたポンプを停止させてコレラ制圧に貢献した。今日では、感染症は病原体・感染経路・宿主の３要因が揃うことで感染するというメカニズムが広く知られているが、スノウの時代には不明であった。スノウのコレラ対策から30年を経てから、コレラの病原体がコレラ菌であることを、細菌学者のロベルト・コッホ（Robert Koch）が発見した。現在では疫学は、感染症のみならず、健康に関するすべての現象を取り扱う学問である。WHOの疫学教科書は、英語版も日本語版もWeb上で無料公開されている（WHO 2008）。

3. 予防のレベルと予防原則

(1) 予防できる病気は予防したい

疫学を学ぶと、病気の原因（疫学では曝露という）がどの程度の健康影響をもたらすのか、因果関係の推測がある程度、定量的にできる。たとえば、タバコが集団の健康に及ぼす影響の大きさは以前から広く研究されている。図２は日本の疫学研究で、人口寄与危険割合という数値を計算したものだ

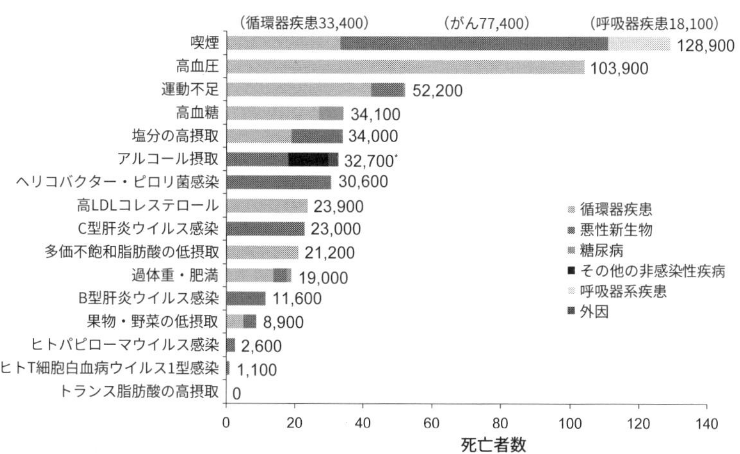

図２　わが国におけるリスク要因別の関連死亡者数──男女計（2007年）

*アルコール摂取は、循環器疾患死亡2000人、糖尿病死亡100人の予防効果が推計値として報告されているが、図には含めていない。

出典：厚生労働省（2012）

表1　予防の４つのレベル

レベル	疾病の段階	目 的	行 動	対象集団と手段
ゼロ次予防	原因につながる社会経済的、環境的条件	健康影響を最小限にとどめるための条件を確立し維持する。	原因となる社会経済的、環境的、行動的条件の発生を防ぐための対策を取る。	全人口、あるいは特定の集団 保健政策とヘルスプロモーション
1次予防	固有のリスクファクター	疾病の発生率を減少させる。	栄養改善、予防施主、環境改善のための個人的社会的努力を行う。	全人口集団、あるいは特定の集団 保健政策
2次予防	疾病の初期	罹病期間を短縮することにより疾病の有病率を減少させる。	疾病の早期発見と迅速な治療を可能とする社会的プログラムを整備する。	ハイリスクの人々や患者 予防医学
3次予防	疾病の後期（治療、リハビリ）	合併症の数や影響を減少させる。	罹病期間の長い疾病や長期の障害の影響を緩和し、苦しみを減らし、患者が最大限有意義に過ごせるよう支援する。	患者 リハビリテーション

出典：WHO (2008)

（Ikeda et al. 2012）。仮にこの世にタバコがなかったとすれば、日本の死因1位であるがんだけでなく、循環器疾患（心筋梗塞や脳卒中）、慢性閉塞性肺疾患（Chronic Obstructive Pulmonary Disease: COPD）など、年間13万人近くの死亡が予防できたことを推計している。また、国内外の疫学研究で、喫煙者は非喫煙者に比べて平均10年寿命が短いこともわかっている。

患者と向き合う医師としては、予防できる病気は未然に予防したい。筆者は働く人々の健康管理を担う産業医として、若い人には防煙（タバコを吸い始めない）教育を行い、喫煙者には禁煙治療や禁煙アプリを勧める。会社に対しては、喫煙所廃止や、タバコ自動販売機の撤去など環境づくりを提案する。このように、予防にはいくつかの方法がある。

(2) 予防のレベル

予防には、病気の発症から治療に至る段階に応じて４つのレベルがある（表1）。

予防のレベルの概念は、従来、がんや脳血管疾患など非感染性疾患によく用いられるものであるが、新型コロナの理解にも役立つ。以下の新型コロナ対策は、それぞれ４つのレベルのどれにあたるか、考えてみよう。

①新型コロナ治療薬

新型コロナの特効薬が開発されれば、すべて解決するだろうか？　治療薬の対象となるのは、新型コロナを発症した人である。治療薬の目的は重症化や合併症の予防、ひいては死亡をなるべく減少させること、すなわち３次予防である。特効薬ができるのは望ましいが、だからといって、新型コロナの新規発症者を減らせるわけではなく、また、治療にあたる医療現場には負担がかかる。医療費もかかる。火事を減らすために消防車を増やすだけでは、根本的な解決にはならないことと同じである。

② PCR（Polymerase Chain Reaction）検査

検査の目的は、新型コロナの感染者をできるだけ早期に発見して早期に治療につなげること、すなわち２次予防である。すでに新型コロナに罹ってしまった人の発症を食い止めることはできない。また、日本ではPCR 検査のキャパシティに限界があり、感染者数が増えると上限に達してしまうこと、検査には見落とし（偽陰性）や偽陽性が付き物であることに注意が必要である。

③クラスター対策

これも②と同様、感染者をできるだけ早期に発見して治療につなげることを目的とした２次予防である。2020 年の初頭は、都道府県（保健所）レベルで、無症状者も含めて接触者をしらみつぶしに追跡できていた。しかし、2021 年８月のように、感染者数が増えた状況下では、マンパワーが必要な接触者の追跡ができなくなっている。

④３密（密閉、密集、密接）回避

これは、すべての人を対象に、感染を減らす行動を促す１次予防である。

また、マスク着用も1次予防といえる。2020年には政府から1世帯2枚の布マスクが配布され、これを「アベノマスク」と揶揄する向きも見られた。

⑤新型コロナワクチン接種

新型コロナに罹っていない健康な人を対象に、能動免疫を高める1次予防である。ワクチンについては後述する。

⑥緊急事態宣言、まん延防止等重点措置

都道府県レベルで人流を減らして感染拡大防止策に取り組む、ゼロ次予防といえる。2020年、初めての緊急事態宣言の発動やその目標設定に際しては、理論疫学の数理モデルが考慮された（西浦・川端 2020）。新型コロナ対策の国別の厳格度指数（①学校閉鎖、②職場閉鎖、③イベント中止、④集会帰省、⑤公共交通機関閉鎖、⑥外出自粛、⑦国内移動制限、⑧海外渡航制限、⑨啓発活動という9の指標からなる）をみると、日本の新型コロナ対策は、ロックダウンを断行した国々に比べてゆるやかな制限であることがわかる。

⑦検 疫

感染症を国外から持ち込まないための水際対策で、ゼロ次予防である。台湾やフィジーなど一部の島では、感染者流入を阻止して、患者数を抑え込むことに成功している。

これらの4つのレベルの予防は、対象者が異なるが、それぞれが相補的に機能する。

(3) 予防のパラドクス

「新型コロナは、高齢者が重症化しやすくハイリスクなのだから、高齢者を隔離して、若い人との接触の機会を減らせばよい」という発想がある。実際に2020年スウェーデンで実行された政策である。その結果、高齢者施設

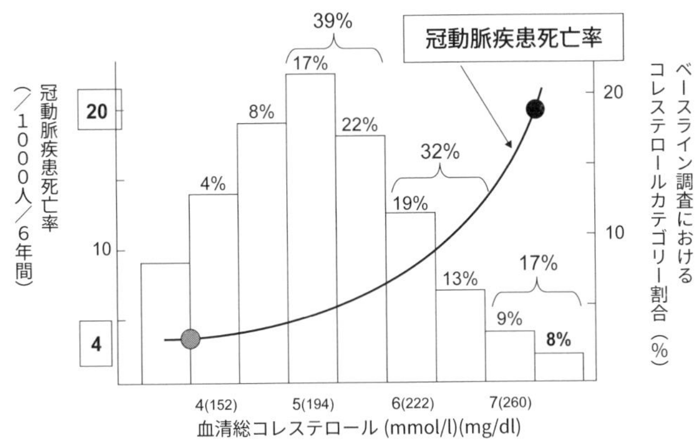

図３　血清総コレステロール値と冠動脈疾患死亡率の関係
出典：水嶋（2005）

では若い介護職員を介して新型コロナのクラスターが発生し、さらに高齢者には人工呼吸器を使用しないスウェーデン政府の方針もあり、多数の死亡者が出た。スウェーデン方式は、日本では受け入れがたいようで、高齢者やハイリスクの人々を守るために、成人や子どもを含めすべての人が感染対策に努めている。

このように、リスクの高い人々の病気を防ぐために、大多数の健康な人々にも対策が必要であることを、疫学者のジェフリー・ローズ（Geoffrey Rose）は著書『予防医学のストラテジー』において「予防のパラドクス」と呼び、予防医学の宿命と指摘している（ローズ 1998: 13)。たとえば、冠動脈疾患は、血中コレステロール値を下げると予防できることがわかっているが、高コレステロール血症の人々を全員治療する「ハイリスクアプローチ」を行ったとしても、集団全体としては、実はさほど死亡者を減らせない。なぜなら集団全体でみると、コレステロール値が正常な大多数の人たちから、より多くの死亡者が発生しているためである（図３)。英国では、ローズの理論に基づいて、2003 年から 2011 年にかけて、国民の主食であるパンの塩分量を毎年少しずつ減らしていく「ポピュレーションアプローチ」、すなわち国民全体（ポピュレーション）を対象とした介入を行った。その結果、英国民の1日の塩分摂取量はこの期間の前後で、平均9.5gから8.1gと、およそ15%下がり、平均血圧は129mmHg/74mmHgから126mmHg/73mmHgに下がり、さらに循環器疾患による死亡は4割減少した（MacGregor et al. 2015）[2)]。このことは、個別の医師患者関係だけでは達成できない、1次予防の例として知られている。

新型コロナ対策において、同調圧力が息苦しいという声もあるが、時には強力なリーダーシップで集団全体に対策を行き渡らせることが、予防に寄与する。たとえば、年間2万人の交通事故死を防ぐために、車に乗る人は全員、一生シートベルトを着用しなければならない。シートベルト着用が義務化された当初は、強制的だ、面倒だ、という声も聞こえてきたが、今では多くの人が当然と受け入れているようだ。2022年現在、筑波大学のキャンパス内で、新型コロナ予防のためにマスク着用をしていない人は一人も見かけない。この先どのくらいの期間続くのかわからないが、今のところ、この予防策は広く受け入れられているようだ。

(4) 遅ればせの教訓から学ぶこと

まるでタイムマシンで未来から訪れた旅人のように、「このままでは将来大変な健康被害が起こるから、今から手を打とう」という早期警告が発せられることがある。過去の事例を振り返ると、実に的確な指摘をした人物がいる。1898年、英国の工場監督官ルーシー・ディーン（Lucy Deane）は、石綿（アスベスト）の致死的な健康障害について、早期の警告を行った。しかし、ディーンの警告の後、英国政府が石綿使用の全面禁止に至るまでは、残念なことに100年間かかった。その間多くの労働者が石綿による健康障害で亡くなっている。欧州環境庁（European Environment Agency: EEA）は、この石綿（アスベスト）の事例を含め、「なぜ予防できなかったか」あるいは「どうして科学的根拠が無視されたのか」という視点から、歴史的な14の健康問題について、詳細なケーススタディを行い、その成果を「12の遅れ

2） 実際には塩分量だけでなく、この期間の喫煙率の減少や、肥満の解消なども、死亡の減少に貢献したといわれている。

表2　12の遅ればせの教訓

1	技術の審議と公共政策策定においては、不確実性とリスクのみならず、無知に対しても認識し、配慮すること
2	早期警告が出されたら、環境と健康についての長期的で適切なモニタリングと研究をすること
3	科学の知識の"盲点"と欠落を明確にし、それを減らすように努めること
4	異なる分野間の学び合いに障害となっているものを特定し、これを減らすこと
5	規制政策を審議する際には、現実世界の条件を十分に考慮すること
6	潜在的なリスクと同じく、指摘された正当性と利益を系統的に審議すること
7	審議中の技術と並行して、代替案を吟味すること。そして、予想外のコストを最小化し、かつ便益を最大化することがより確実で、多様性と適用性のある技術を推進すること
8	審議に当たり、当該分野の専門家だけでなく、必ず"普通の人"や地方の知恵を用いることを保障すること
9	異なる社会集団の受容と価値観を十分に考慮すること
10	情報と意見の収集に当たっては総括的な取組みをしながらも、規制者は利益集団から独立性を保つこと
11	事実を知ることと行動することにあたっての制度的な障害をはっきりさせて、これを減らすこと
12	合理的な懸念がある場合には、潜在的な被害を低減する行動を起こすことによって、"分析による麻痺"に陥らないようにすること

出典：欧州環境庁（2005: 352-353）を基に、筆者が一部文言を改変

ばせの教訓」として公表している（表2）。

我々は、直近では2009年の新型インフルエンザに教訓を得て、来るべき新たな感染症に全世界が備えるなかで、新型コロナの流行を迎えた。新型コロナなど新規の脅威にあたって、意思決定者は、リスクの全体像を明らかにする科学者の仕事と同時並行で、リーダーシップを発揮して対策を行わなければならない。科学的な正確性を追い求めるあまり、対策が後手に回ってしまった過去への反省は「予防原則」として、リオ宣言第15原則に以下のように記載されている。

> 深刻な、あるいは不可逆的な被害のおそれがある場合には、完全な科学的確実性の欠如が、環境悪化を防止するための費用対効果の大きい対策を延期する理由として使われてはならない。
>
> （国連環境開発会議 1992）

新型コロナの時代にも、この12の遅ればせの教訓は示唆に富む。さらに、予防原則（precautionary principle）を適用する際の5原則として挙げられている、①釣り合い（リスクの大きさに対して、不釣り合いなリスク削減目標を設定しない）、②公平な扱い（類似の状況では似た対応を採用する）、③一貫性（過去にとられた対策と矛盾しない）、④費用便益比較、⑤科学の進展に留意（常に最新のデータを求めること）、にも着目しておきたい。

4. 予防接種

(1) ワクチンは切り札か？

ワクチンとは、人体に備わる「免疫」のシステムを利用して、感染症に罹る以前に「免疫」を獲得させるための医薬品である。ワクチンの起源は1796年、天然痘に対して英国で医師のエドワード・ジェンナー（Edward Jenner）が発明した牛痘ワクチン（vaccineのvaccaはラテン語で牛の意）であった。天然痘の致死率は2割から5割といわれ、また見目定めと称されたとおり、患者の皮膚には痘痕（あばた）が残る。天然痘はその後、ワクチン（種痘）接種の普及がもたらした集団免疫の獲得により、世界から根絶された。天然痘に続いて現在、世界はポリオの根絶を目指しているが、紛争などでワクチン接種が滞る地域が課題となっている。

ワクチン接種率が低いと、感染症の流行は止められない。たとえば風疹はアメリカ大陸では制圧されているが、日本では子どもの頃ワクチン接種がなかった成人男性を中心に、周期的に流行を繰り返している。新型コロナについては、新規開発・実用化されたメッセンジャーRNAワクチンの有効性が9割と高いものの、その予防効果の持続が半年程度であることが明らかになってきており、現時点で集団免疫の獲得は難しいとされている。

(2) ワクチン躊躇（ちゅうちょ）

ワクチンが普及すると、病気そのものが減少するため、ワクチンの予防効果に対する認識が薄れ、ワクチンの副反応に人々の注目が集まる。日本はワクチンが重要だと思う人、効果があると思う人、安全だと思う人が世界の中でも際立って少ない（de Figueiredo et al. 2020）。この原因として、ヒトパピローマウイルス（Human papillomavirus: HPV）ワクチン接種後にけいれんなどの様々な症状を訴える若い女性の映像が報道され、2013年から厚生労働省が積極的接種勧奨を一時中止していた影響といわれている。実際に2021年7月のインターネット調査では、20代から30代の女性の4割でワクチン接種についてもう少し様子を見たいと回答している（Buzzfeed Japan 2021）。副反応の心配や、ワクチンの安全性についての懸念のせいで接種をためらうことを、ワクチン躊躇とよぶ。さらに根拠が乏しい「反ワクチン」情報がソーシャル・ネットワーク・サービス（SNS）で増幅して拡散される「インフォデミック」は、公衆衛生の脅威とされている。

5. リスクコミュニケーション

(1) 正しくおそれる

感染症はヒトからヒトにうつる性質ゆえ、おそれや差別を招く。また、新しい薬やワクチンには、副作用の不安がつきまとう。新型コロナ禍においても、予防行動や新しいワクチンについての価値観の違いが、人々の分断をもたらしている。

最新の科学的知識を人々に伝えること、その上で、できるだけ安心して生活を送れるように、リスクを正しくおそれる態度を示すことは、公衆衛生の重要な責務である。システム科学者のジェフリー・ヴィッカーズ（Geoffrey Vickers）によれば、公衆衛生には、健康と病気についての人々の理解や、それに対する態度を明確にする機会と義務がある。

新型コロナ禍においては、公衆衛生の専門家や医療従事者が、SNSやウェブサイトや動画配信などを通して、個人やチームとして主体的に情報発信を行うようになってきた。コロナ専門家有志の会（https://note.stopcovid19.jp/）や、こびナビ（https://covnavi.jp/）など、数万人規模のフォロワーを獲得したリスクコミュニケーションの例もある。

(2) 感染症と差別

感染症対策を推進するにあたっては、差別と人権侵害に留意する必要がある。2021年1月「感染症法改正議論に関する声明」が日本公衆衛生学会と日本疫学会より出された。これは「患者・感染者が入院・検査・情報提供を拒否した場合に刑事罰を与える」という感染症法の改正案に抗議するものであり、最終的には刑事罰の付与は見送られた。この議論は、ハンセン病やHIV/AIDS（human immunodeficiency virus, ヒト免疫不全ウイルス／acquired immunodeficiency syndrome, 後天性免疫不全症候群）にまつわる差別と人権侵害の歴史に関連したものである。ここで新型コロナの差別や偏見について考える上で、感染症法の前文（1998年公布）は名文であり、ぜひ一読してもらいたい。

> 人類は、これまで、疾病、とりわけ感染症により、多大の苦難を経験してきた。ペスト、痘そう、コレラ等の感染症の流行は、時には文明を存亡の危機に追いやり、感染症を根絶することは、正に人類の悲願と言えるものである。
>
> 医学医療の進歩や衛生水準の著しい向上により、多くの感染症が克服されてきたが、新たな感染症の出現や既知の感染症の再興により、また、国際交流の進展等に伴い、感染症は、新たな形で、今なお人類に脅威を与えている。
>
> 一方、我が国においては、過去にハンセン病、後天性免疫不全症候群等の感染症の患者等に対するいわれのない差別や偏見が存在したという事実を重く受け止め、これを教訓として今後に生かすことが必要である。
>
> このような感染症をめぐる状況の変化や感染症の患者等が置かれてきた状況を踏まえ、感染症の患者等の人権を尊重しつつ、これらの者に対する良質かつ適切な医療の提供を確保し、感染症に迅速かつ適確に対応することが求められている。
>
> ここに、このような視点に立って、これまでの感染症の予防に関する施策を抜本的に見直し、感染症の予防及び感染症の患者に対する医療に関する総合的な施策の推進を図るため、この法律を制定する。

ハンセン病については、1907年の法律「らい予防に関する件」以来90年にわたる差別的な隔離政策について、厚生労働省や国立ハンセン病資料館のウェブサイトで学ぶことができる。AIDSについては、エイズ予防情報ネットなどを参照されたい。

6. 健康格差

(1) 健康の社会的決定要因

公衆衛生の定義や、予防のレベルでみたように、健康問題の原因のさらに上流をたどっていくと、社会格差や不平等といった、より根源的な問題に行きつく。たとえば米国では、黒人の新型コロナワクチン接種割合が白人と比較して低い。その要因として、人種間の収入格差および教育格差、そして居住地域の共和党支持率が関連しているという分析結果がある（Agarwal et al. 2021）。つまり、社会格差が健康格差につながっている。

英国の疫学者マイケル・マーモット（Michael Marmot）らは、ロンドンの公務員の健康状態を追跡したホワイトホール研究で、社会階層が低いほど死亡率が高いことを見出し、健康の社会的決定要因（social determinants of health）に着目した（マーモット 2017）。マーモットによれば、健康格差をもたらすものは、喫煙や血圧以上に、不平等による慢性的なストレスであるという。前述のローズも、病気の「原因の原因」は、社会、経済、そして産業であると指摘している（ローズ 1998: 99）。社会疫学は、社会格差が健康格差につながることをデータで見える化し、格差を是正する政策提言につなげる疫学の一分野である（近藤 2017）。

(2) 社会格差が健康格差をつくる

新型コロナ禍において、社会格差が健康格差に及ぼす影響を明らかにするため、わが国でも社会疫学の研究者が多数参画して、2020年、日本におけるCOVID-19問題による社会・健康格差評価研究The Japan COVID-19 and Society Internet Survey（JACSIS）プロジェクトが立ち上がった。JACSIS研究はインターネット調査で、初回の参加者3万人を今後、毎年追跡する予定である。

これまでのJACSISの研究成果はウェブサイトで公開されており（JACSIS study）、コロナ禍において都市部や貧困の度合いが高い地域に住む人は自殺念慮が高いこと（Okubo et al. 2021）や、「3か月以内に住むところを失う」と居住不安を抱える人が日本全国の推計値として180万人いることなどを発表している。また、2020年12月にはGo Toトラベル利用と新型コロナに特徴的な症状との関連を示唆する論文（Miyawaki et al. 2021）が、査読前のプレプリント段階で社会的な注目を集め、当時の感染拡大状況もあり、Go Toキャンペーンの一時停止が決定された。その後、都道府県データを利用した疫学調査でも同様の結果が報告されている。インターネット調査ならではのスピード感が、今後も政策決定に影響するかもしれない。

おわりに

⑴ 新型コロナ対策と公衆衛生

公衆衛生の視点から、過去の感染症対策の歴史を紐解き、現在の新型コロナの状況と、対策について概説した。健康問題を元から断つためには、患者を診る3次予防だけでなく、早期発見する2次予防、健康な人に予防対策を促す1次予防、さらに病気の起きない環境づくり＝ゼロ次予防と、より上流にもアプローチする必要がある。

「上医医国、中医医民、下医医病」という、5世紀中国の医学者・陳延之が記したことばがある。これは上中下というヒエラルキーではなく、国を挙げての上流からのアプローチが、人々の病を予め防ぎうることを示す言葉であろう。「国を医す」上医として、私が想起するのは、アフガニスタンにて初めハンセン病（らい）診療に携わり、後にマルワリード用水路の建設で砂漠の灌がいを成し遂げた中村哲医師（1946-2019年）である。現在、新型コロナ対策を担う世代には、少なからず中村哲医師の影響を受けている人が多い。公衆衛生専門家は、診療所や病院にとどまらず、国や地域・研究機関・学校・職域・非営利法人など様々なフィールドで活動している。公衆衛生を学ぶために、公衆衛生学修士（Master of Public Health: MPH）を取得する道もある。

(2) 学際的な議論を

新型コロナのような感染症対策を検討する際には、公衆衛生の専門家だけでなく、他分野との開かれた議論が必要である。現在特に意見が分かれるディスカッション・クエスチョンと、関連する学問領域を以下に示して、本章を締めくくりたい。

- わが国の新型コロナワクチン接種は、2022 年現在予防接種法に基づく臨時接種（努力義務）であるが、義務化すべきだろうか？　また、ワクチン接種済みの人の渡航や飲食を認めるワクチンパスポート（ワクチン・検査パッケージ）を導入すべきだろうか？
- 新型コロナにおけるマスク着用や 3 密回避、そしてワクチン接種のように、新しい予防行動を推進するとき、どのようなコミュニケーションが必要だろうか？
- 新型コロナ対応にあたり、公衆衛生の知を活用できているだろうか。さらなる改善の余地があるとすれば、何が必要だろうか？

【関連する学問領域】

法律：緊急事態宣言の発出やワクチンの臨時接種にあたり、感染症・予防接種法など関係法令の整備がなされた。その過程で、感染症法の罰則について検討され、ハンセン病や後天性免疫不全症候群の差別の歴史を踏まえて、人権をめぐる議論が巻き起こった。

政治：新型コロナなどのパンデミック対応には、どのような政策決定の過程が求められるだろうか。政策決定にあたり、健康被害を最小限にするための健康影響評価（Health Impact Assessment）という試みも提唱されている（ケムほか編 2010）。

経済：新型コロナの感染拡大防止にあたり、人流や会食の制限を求めるため、Go To キャンペーンや、各種マスギャザリングイベント開催と時に対立する関係にある。一方で、ワクチン接種や感染予防キャンペーンなどにおいて、行動経済学やマーケティング理論（ソーシャルマーケティング）の応用に、公衆衛生側からの注目が集まっている。

医学：基礎医学の積み重ねなくして、ワクチンや新しい治療薬の開発はない。また、医療は限りがある社会的資源であり、臨床医学を軽視した新型コロナ対策はできない。

前述のヴィッカーズは、歴史上、公衆衛生は、知識、技術、人々の価値観、政治的意向（容認できない問題の再検討：redefining the unacceptable）が合わさるタイミングで発展する、としている。新型コロナの時代、容認できない様々な問題の再検討を受けて、公衆衛生はどのように発展するであろうか。

◘文 献

欧州環境庁編 2005『レイト・レッスンズ――14の事例から学ぶ予防原則』松崎早苗監訳、安間武・水野玲子・山室真澄訳、七つ森書館

「感染症の予防及び感染症の患者に対する医療に関する法律（感染症法）前文」（https://elaws.e-gov.go.jp/document?lawid=410AC0000000114，2021年8月30日最終閲覧）

ケム，ジョン／パリー，ジェイン／パルマー，スティーヴン編 2010『健康影響評価――概念・理論・方法および実施例』藤野義久・松田晋哉監訳、社会保険研究所

厚生労働省 2012「健康日本21（第2次）の推進に関する参考資料」（https://www.mhlw.go.jp/bunya/kenkou/dl/kenkounippon21_02.pdf，2021年8月28日最終閲覧）

――. 2022「（2022年1月版）新型コロナウイルス感染症の"いま"に関する11の知識」（https://www.mhlw.go.jp/content/000788485.pdf，2022年1月21日最終閲覧）

厚生労働省政策統括官（統計・情報政策担当）2018「平成30年 我が国の人口動態――平成28年までの動向」（https://www.mhlw.go.jp/toukei/list/dl/81-1a2.pdf，2021年8月30日最終閲覧）

国立感染症研究所「新型コロナウイルス感染症（COVID-19）関連情報ページ」（https://www.niid.go.jp/niid/ja/diseases/ka/corona-virus/2019-ncov.html，2022年1月21日最終閲覧）

国連環境開発会議 1992「環境と開発に関するリオ宣言（環境省環境基本問題懇談会〔第2回〕議事次第参考資料5-1）」（https://www.env.go.jp/council/21kankyo-k/y210-02.

html，2022 年 1 月 21 日最終閲覧）

近藤克則 2017『健康格差社会への処方箋』医学書院

全国保健所長会「公衆衛生医師について」（http://www.phcd.jp/02/j_ishi/，2021 年 8 月 27 日最終閲覧）

日刊ゲンダイ「大阪府 100 万人あたりのコロナ死者数『インド超え』の衝撃」（https://www.nikkan-gendai.com/articles/view/life/288909，2021 年 8 月 30 日最終閲覧）

西浦博・川端裕人 2020『理論疫学者・西浦博の挑戦 新型コロナからいのちを守れ！』中央公論新社

マーモット，マイケル 2017『健康格差――不平等な世界への挑戦』栗林寛幸監訳、野田浩夫訳者代表、日本評論社

水嶋春朔 2005「予防医学のストラテジー――ハイリスク・ストラテジーとポピュレーションストラテジー」（https://www.mhlw.go.jp/shingi/2005/08/s0804-3a01.html，2021 年 8 月 30 日最終閲覧）

ローズ，ジェフリー 1998『予防医学のストラテジー――生活習慣病対策と健康増進』曽田研二・田中平三監訳、水嶋 春朔・中山 健夫・土田 賢一・伊藤 和江訳、医学書院

Agarwal, R., Dugas, M., et al., 2021, “Socioeconomic Privilege and Political Ideology are Associated with Racial Disparity in COVID-19 Vaccination,” *PNAS* 118(33): e2107873118.

Buzzfeed News 2021「ワクチン接種 6 割が前向き、4 割にためらい　情報判断に自信のない人ほど接種に消極的に」（https://www.buzzfeed.com/jp/naokoiwanaga/covid-19-vaccine-chousa，2021 年 8 月 28 日最終閲覧）

de Figueiredo, A., Simas, C., et al., 2020, “Mapping Global Trends in Vaccine Confidence and Investigating Barriers to Vaccine Uptake: A Large-Scale Retrospective Temporal Modelling Study,” *Lancet* 396(10255): 898-908.

Ikeda, N., Inoue, M., et al., 2012, “Adult Mortality Attributable to Preventable Risk Factors for Non-Communicable Diseases and Injuries in Japan: A Comparative Risk Assessment,” *PLOS Medicine* 9(1): e1001160.

JACSIS study「日本における新型コロナウイルス感染症（COVID-19）問題による社会・健康格差評価研究」（https://takahiro-tabuchi.net/jacsis/，2021 年 9 月 3 日最終閲覧）

MacGregor, G. A., He, Feng J., et al., 2015, “Food and the Responsibility Deal: How the Salt Reduction Strategy was Derailed,” *BMJ* 350: h1936.

McKeown, T., 1976, *The Role of Medicine: Dream, Mirage, or Nemesis?* Nuffield Provincial National Trust（https://www.nuffieldtrust.org.uk/files/2017-01/1485273106_the-role-of-medicine-web-final.pdf，2021 年 8 月 30 日最終閲覧）.

Miyawaki, A., Tabuchi, T., et al., 2021, “Association between Participation in the Government Subsidy Programme for Domestic Travel and Symptoms Indicative of

COVID-19 Infection in Japan: Cross-Sectional Study," *BMJ Open* 11(4): e049069.

Okubo, R., Yoshioka, T., et al., 2021, "Urbanization Level and Neighborhood Deprivation, not COVID-19 Case Numbers by Residence Area, Are Associated with Severe Psychological Distress and New-Onset Suicidal Ideation during the COVID-19 Pandemic," *Journal of Affective Disorders* 287: 89-95.

Porta, Miquel 編 2010『疫学辞典［第 5 版]』日本疫学会訳、財団法人日本公衆衛生協会（https://jeaweb.jp/files/activities/dictionary_of_epidemiology.pdf, 2021 年 8 月 30 日最終閲覧）

Sudharsanan, N., Didzun, O., et al., 2020, "The Contribution of the Age Distribution of Cases to COVID-19 Case Fatality Across Countries: A Nine-Country Demographic Study," *Ann Intern Med* 173(9): 714-720.

United Nations Department of Economic and Social Affairs Population Dynamics "World Population Prospects"（https://population.un.org/wpp/Graphs/DemographicProfiles/Pyramid/392, 2021 年 8 月 30 日最終閲覧）

Vickers, G. R., 1958 "What Sets the Goals of Public Health?" *N Engl J Med* 258: 589-596.

WHO 2008『WHO の標準疫学［第 2 版]』木原雅子・木原正博監訳、三煌社（https://apps.who.int/iris/bitstream/handle/10665/43541/9241547073_jpn.pdf?sequence=3&isAllowed=y, 2021 年 9 月 3 日最終閲覧）

Winslow, C.-E. A., 1920, "The Untilled Fields of Public Health," *Science* 51(1306): 23-33.

2　日本国憲法の視点から考える新型コロナ対策
――人権の多面性と国家の役割

秋山　肇

はじめに

新型コロナは、社会に様々な影響をもたらした。2020年2月以降、多くの学校が休校した[1]。すべての都道府県で外出自粛が要請された。飲食店の休業や営業時間短縮が求められた地域もある。コロナ禍前の生活では当たり前のように行われていたことが、コロナ禍において困難になっているのである。このような状況において憲法は、人権保障のための重要な役割を担っている。その一方でコロナ禍は、従来意識されてこなかった感染症と人権、憲法の関係性を問い直す契機にもなっている。

本章では、新型コロナ対策をめぐっていかなる日本国憲法上の論点が存在するかを検討する。第1節では、日本国憲法の理解の基盤となる、近代立憲主義の歴史および日本国憲法の特徴を解説し、自由が重視されてきたと論じる。第2節では、新型コロナ対策の中心的な法律である新型インフルエンザ等対策特別措置法の規定を概観し、特に同法による移動の自由、営業の自由の制限を伴う対策を紹介する。第3節では新型コロナ対策を、憲法が規定する自由権、公共の福祉、生命権・生存権の視点から分析する。第4節では、今後検討すべき課題を述べる。

1）2020年4月22日時点で小中学校の95%、高校の97%が休校していた（文部科学省 2020）。

1. 日本国憲法とは何か

(1) 近代立憲主義の歴史

日本国憲法は、日本における最高法規である。日本国憲法に違反する法は無効となる。また憲法は、その国の国家観を示している。日本国憲法の特徴として、近代立憲主義の思想、第二次世界大戦の反省が挙げられる。これらを基盤として日本国憲法は自由を重視し、政府への権限の集中に抑制的な国家観を有している。この国家観は、日本の新型コロナ対策を分析し、憲法的な論点を整理する際に重要な視点である。まず、近代立憲主義の背景から説明しよう。

近代立憲主義とは、個人の権利・自由を保障するために、憲法により国家権力を制限すべきであるとの考え方である。今日の日本国憲法の基盤となっている近代立憲主義は、18 世紀末の欧州において展開されたため、欧州の歴史的背景の理解が必要である。フランスのルイ 14 世に代表されるように欧州では絶対王政が敷かれ、市民の権利は保障されていなかった。そこで展開されたのが自然権思想である。人間は生まれながらにして権利を有しているとの考え方であり、身分制を基盤として社会が構成された当時において大きな影響力があった。そして自然権思想は、社会契約論の基盤となった。社会契約論は国家権力の源泉を、各個人が自然権保障を目的として契約を結んだことに見出す。換言すれば、各個人の自然権が保障されなければ、国家が統治をする正しさ（正統性、legitimacy）が失われることになる[2)]。そのため、各個人の権利・自由が保障されていない絶対王政の状況が問題視されるようになった。この背景のもと、1776 年に制定されたのがアメリカ合衆国のバージニア権利宣言である。同宣言は、人間の自由や社会契約論の理解を基盤として政府を位置づけた。しかし英国の植民地として課税がなされたことへの反発から独立戦争が勃発し、1788 年にはアメリカ合衆国憲法が制定

2） 国家は「正統な物理的暴力行使」を独占することが想定されており（Weber 2004: 33）、警察は国家権力による暴力行使の例である。

され、1791年に人権規定が追加された[3]。また欧州においてはフランス革命が起こり、1789年にフランス人権宣言が制定された。同宣言16条は、「権利の保障が確保されておらず、また、権力の分立が定められていないすべての社会は、憲法を持たない」と規定し[4]、1791年には人権規定を含めた憲法が制定された。この歴史的背景で重要なのは、近代立憲主義において、自由が極めて重要な価値を有する点である。王や国家といった権力が個人への脅威になる可能性を前提とし、個人の自由の保障を重視するのが近代立憲主義の特徴である[5]。

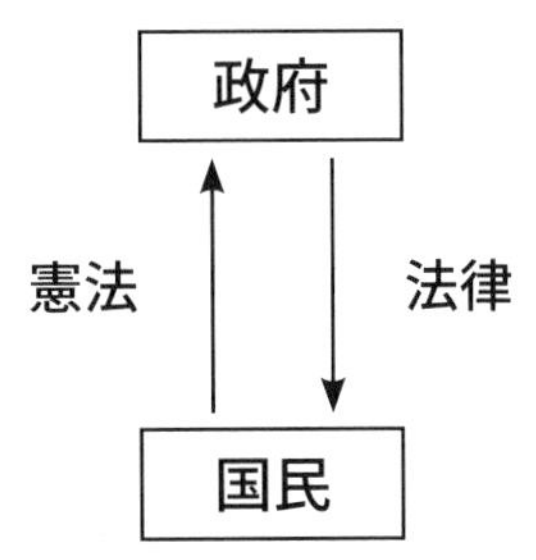

図1　国民・政府の権力をめぐる憲法・法律の位置づけ
出典：筆者作成

個人の権利・自由を保障するために、「憲法」が政府の権力を制限する。そして憲法の制約に基づいて、政府が正統な暴力の行使を独占するようになる。その結果政府は「法律」を制定する。日本国憲法においては、日本国民が選挙権を有し、立法府である国会の議員を選出する。そして国会において立法が行われる。すなわち、国民が憲法によって政府を縛り、政府が法律によって国民を縛るという構図が出来上がる（図1）。重要なのは、政府は立法府を通して国民を縛る法律をつくる機能を有しているものの、憲法の枠組みの中でしかつくることができない、という点である。これは、国家権力の源泉が国民の信託・信頼にあることに依拠している。

(2) 日本国憲法の特徴

上記の欧州の歴史を基盤とする近代立憲主義が日本国憲法の根幹にある。日本は明治時代に西欧化を進め、1889年には日本初の近代憲法といえる大

3）人権に関しては各州において保障されるべきであるとの考えがあったために、当初合衆国憲法では規定されなかった。

4）同宣言は今日のフランス憲法の一部であると考えられており、今日でも法的に重要な文書である。

5）近代立憲主義については、高橋（2020: 19-37）参照。

日本帝国憲法を制定した。この憲法では「臣民」に対し権利を認めたものの、生来の自然権として認めたものではなく、国が「法律の留保」のもと保障するものとされた。また、立法・司法・行政の機能は分離していたが、権力が最終的には天皇に集中しており、軍部勢力が権力を掌握して第二次世界大戦を迎えた[6)]。

この経験は、今日の日本の法・政治制度における国家観に大きな影響を与えている。戦後制定された日本国憲法は、平和主義、国民主権、基本的人権の尊重を原則とし、近代立憲主義思想を基盤とした憲法である。第二次世界大戦後、日本を占領した連合国軍総司令部（GHQ）が起草した案を基盤として政府や帝国議会で審議され、日本国憲法が制定された[7)]。日本国憲法は、大日本帝国憲法下での経験を踏まえたものであることに留意が必要である。たとえば日本国憲法 13 条は個人の尊重を規定している。個人が国家のための犠牲を強いた経験から、個人の尊重が重視された。個人の尊重は日本国憲法における最も重要な原理とも考えられている（山元 2019: 37）。また、大日本帝国憲法においては緊急時に行政権の権力を集中させ、人権の制限を許容する国家緊急権が規定されていた一方で、日本国憲法では同様の規定がない。これも第二次世界大戦の教訓である。

このように、日本国憲法は近代立憲主義の思想や大日本帝国憲法の経験から個人の自由を基本的な価値とし、政府への権限集中に懐疑的な国家観を示している。

2. 新型コロナをめぐる法、政策

(1) 新型インフルエンザ等対策特別措置法

日本国憲法は、自由を重視する国家観を築いてきた。その中で起きたのがコロナ禍である。新型コロナ対策には憲法に関連する様々な論点が存在するが、そのうちの重要な一つが個人の自由の制限である。感染拡大予防のため

6） 大日本帝国憲法下の歴史については、坂野（2020）参照。
7） 日本国憲法の起草過程については、古関（2017）参照。

に、新型インフルエンザ等対策特別措置法（以下、特措法）に基づいて緊急事態宣言・まん延防止等重点措置（以下、重点措置）が出され、外出自粛要請や営業時間短縮、休業の要請・命令が出されてきた。まず特措法について概観しよう。

特措法は、2012 年に成立し、2013 年に施行された法律である。2009 年に新型インフルエンザが世界的に流行し、日本でも医療資源の逼迫が見られたために制定された[8)]。特措法は多くの国民が免疫を獲得していない新型感染症等に特化し、感染症の急速なまん延による深刻な被害を防ぐことを目的としている。特措法の特徴は、緊急事態宣言等の規定があることである。2020 年初頭には感染状況が深刻になると考えられておらず、特措法適用の必要性は議論されていなかった。しかし感染収束の兆しが見えないことから、2020 年 3 月に特措法が改正され、新型コロナ対策の基盤となった[9)]。また、2021 年 2 月には重点措置が特措法に導入された。

(2) 緊急事態宣言・まん延防止等重点措置

特措法は感染症対策の 3 つの段階を規定している。第一段階は政府対策本部の設置である。従来のインフルエンザよりも症状が深刻な新型感染症が発生すると、政府対策本部が設置され、各都道府県にも対策本部長が設置される。都道府県知事は様々な要請が可能になる[10)]。緊急事態宣言や重点措置の対象となっていなくても、対策本部が設置されていれば、特措法に基づく要請が出されうる。

第二段階がまん延防止等重点措置である。緊急事態宣言発出前に効果的な感染症対策を採ることを目的として、2021 年 2 月に新設された。重点措置適用により、都道府県知事は事業者に対し、営業時間変更の要請ができる[11)]。住民に対しては、営業時間変更の要請に従わない場への出入り自粛を要請す

8） 特措法制定の経緯については、新型インフルエンザ等対策研究会（2013: 3-6）参照。
9） 2020 年の特措法改正までの経緯については、一般社団法人アジア・パシフィック・イニシアティブ（2020: 133-137）参照。
10） 特措法 24 条第 9 項。
11） 特措法 31 条の 6 第 1 項。

ることができる[12]。その上で、事業者が営業時間の変更要請に従わない場合、都道府県知事は営業時間変更を命令することができる[13]。この命令に違反した場合には、20万円の過料が課される可能性がある[14]。

第三段階が緊急事態宣言である。新型感染症が全国的なまん延により、国民社会、国民生活に甚大な影響を及ぼす、またそのおそれがある場合に、緊急事態宣言が発出される[15]。緊急事態措置の対象となると、都道府県知事が住民に対して不要不急の外出自粛要請および施設使用制限の要請、すなわち休業要請を行うことが可能となる[16]。2021年2月の特措法改正前は、この要請により休業要請対象の店舗が公表され、要請に従わない場合には指示が行われることになっていた。当時は要請や指示に従わない場合も罰則は存在しなかった。しかし2021年2月の改正で、休業要請に従わない際に都道府県知事は、休業を命ずることができるようになった[17]。命令に違反した場合には、30万円までの過料が課されることがある[18]。

2020年3月の特措法改正後、同年4月に初めての緊急事態宣言が発出され、6月までに解除されたものの、2021年1月に2度目の緊急事態宣言が発出された。同年2月の法改正により重点措置が導入されると4月に初めて適用された。緊急事態宣言、重点措置は発出と解除を繰り返しつつ、2021年9月に至っている（表1）。

⑶ 新型コロナ対策

上記の法制度を基盤として、様々な新型コロナ対策が実施されてきた。ここでは、移動の自由、営業の自由に関わる論点を紹介する[19]。

12） 特措法31条の6第2項。

13） 特措法31条の6第3項。

14） 特措法80条。行政罰である過料は、刑事罰である科料と異なり前科にならない。

15） 特措法32条第1項。

16） 特措法45条第1・2項。

17） 特措法45条第3項。

18） 特措法79条。なお、要請や命令の主体は知事であるものの、政府が定める基本的対処方針に沿って対応することとなり（特措法18条）、政府との調整も必要である。

19） 他にはたとえば、2020年2月に感染拡大防止を目的として当時の安倍首相が全国一斉休校を要請したことも、子どもの権利、特に教育を受ける権利との関連で論

2020 年 3 月に、新型コロナに特措法が適用されると、複数の都府県で不要不急の外出自粛が要請された（nippon.com 2020）。同年 4 月に緊急事態宣言が発出されると、5 月にすべての都道府県が緊急事態措置の対象となり、不要不急の外出自粛が要請された。また、21 都道府県で休業や営業時間短縮要請をはじめとする施設の使用制限が要請され、当時の特措法に基づいて施設管理者が公表された（内閣官房新型コロナウイルス感染症対策推進室 2020: 2-3）。休業要請や公表をめぐっては、様々な社会的な問題も指摘された[20]。

2021 年 2 月の特措法改正後には、罰則が適用されるようになった。同年 3 月の緊急事態宣言中に東京都は 27 の店舗に営業時間の短縮を命令した（東京新聞 2021）。しかし 4 つの店舗がこれに応じず午後 8 時以降も営業していたとして、過料を課す手続きが取られた（JIJI.com 2021a）。2021 年 7 月までに、25 万円の過料が決定している（JIJI.com 2021b）。

3. 新型コロナ対策と日本国憲法

(1) 自由権

新型コロナ対策の一環である営業時間短縮・休業の要請・命令、外出自粛要請には、憲法が保障する営業の自由、移動の自由を制限する側面がある。まず、これらの自由を保障する憲法の条文を確認しておこう。

営業の自由に関連する憲法の条文としては、職業選択の自由を規定する 22 条、財産権を規定する 29 条、人格権を規定する 13 条が挙げられる。営業の自由は一般的には、職業選択の自由の一部と解釈されている（芦部 2019: 233）。自らの財産を使用して営業を行うことから、職業選択の自由に加えて財産権も営業の自由の基盤と捉える学説もある（渋谷 2017: 295）。また、移動の自由の基盤となる条文は、居住・移転の自由を規定する憲法 22 条である。

点となりうる。

20） たとえば、休業要請の対象となったにもかかわらず営業をしている店舗等を攻撃する現象が発生した。自粛警察やコロナ自警団と呼ばれる。

表1　まん延防止等重点措置、緊急事態宣言の発出状況と適用／解除地域

まん延防止等重点措置			緊急事態宣言		
2020年特措法					
			日 付	適用／解除	適用／解除地域
			4/7	適用	埼玉、千葉、東京、神奈川、大阪、兵庫、福岡
			4/16	追加適用	埼玉、千葉、東京、神奈川、大阪、兵庫、福岡を除く40道府県
			5/14	一部解除	北海道、埼玉、千葉、東京、神奈川、京都、大阪、兵庫を除く39県
			5/21	一部解除	京都、大阪、兵庫
			5/25	全国解除	北海道、埼玉、千葉、東京、神奈川
			2021年		
			1/8	適用	埼玉、千葉、東京、神奈川
			1/14	追加適用	栃木、岐阜、愛知、京都、大阪、兵庫、福岡
2021年改正特措法					
日 付	適用／解除	適用／解除地域	日 付	適用／解除	適用／解除地域
			2/7	一部解除	栃木
			3/7	一部解除	岐阜、愛知、京都、大阪、兵庫、福岡
			3/21	全国解除	埼玉、千葉、東京、神奈川
4/5	適用	宮城、大阪、兵庫			
4/12	追加適用	東京、京都、沖縄			
4/20	追加適用	埼玉、千葉、神奈川、愛知			
4/25	追加適用	愛媛			
4/25	宣言へ移行	東京、京都、大阪、兵庫	4/25	適用	東京、京都、大阪、兵庫
5/9	追加適用	北海道、岐阜、三重			
5/11	一部解除	宮城			
5/11	宣言へ移行	愛知			
			5/12	追加適用	愛知、福岡
5/16	宣言へ移行	北海道	5/16	追加適用	北海道、岡山、広島
5/16	追加適用	群馬、石川、熊本			
5/22	一部解除	愛媛			
5/23	宣言へ移行	沖縄	5/23	追加適用	沖縄
6/13	一部解除	群馬、石川、熊本			
6/20	一部解除	岐阜、三重	6/20	一部解除	北海道、東京、愛知、大阪、京都、兵庫、岡山、広島、福岡
6/21	宣言から移行	北海道、東京、愛知、京都、大阪、兵庫、福岡			
7/11	一部解除	北海道、愛知、京都、兵庫、福岡			
7/11	宣言へ移行	東京			
			7/12	追加適用	東京
8/2	宣言へ移行	神奈川、千葉、埼玉、大阪	8/2	追加適用	埼玉、千葉、神奈川、大阪
8/2	適用	北海道、石川、京都、兵庫、福岡			
8/8	追加適用	福島、茨城、栃木、群馬、静岡、愛知、滋賀、熊本			

8/20	宣言へ移行	茨城、栃木、群馬、静岡、京都、兵庫、福岡	8/20	追加適用	茨城、栃木、群馬、静岡、京都、兵庫、福岡
8/20	追加適用	宮城、富山、山梨、岐阜、三重、岡山、広島、香川、愛媛、鹿児島			
8/27	宣言へ移行	北海道、宮城、岐阜、愛知、三重、滋賀、岡山、広島	8/27	追加適用	北海道、宮城、岐阜、愛知、三重、滋賀、岡山、広島
8/27	追加適用	高知、佐賀、長崎、宮崎			
9/13	宣言から移行	宮城、岡山	9/13	一部解除	宮城、岡山
9/13	一部解除	富山、山梨、高知、愛媛、佐賀、長崎			
9/30	全国解除	宮城、福島、石川、岡山、香川、熊本、宮崎、鹿児島	9/30	全国解除	北海道、茨城、栃木、群馬、埼玉、千葉、東京、神奈川、岐阜、静岡、愛知、三重、滋賀、京都、大阪、兵庫、広島、福岡、沖縄

出典：内閣官房ウェブサイト（https://corona.go.jp/emergency/）を参考に筆者が作成。秋山（2021）の表を更新した。

営業の自由をめぐっては、東京都による営業時間短縮命令の対象となったグローバルダイニング社が訴訟を提起した。2021年3月に東京都が営業時間短縮命令を行った27の店舗のうち26の店舗がグローバルダイニング社の店舗であり[21)]、特措法に基づく命令は営業の自由を侵害していると訴えている（CALL4 2021）。

後述の公共の福祉との関連で重要なポイントになるため、ここで自由権を整理したい。自由権は、大きく精神的自由権と経済的自由権に分けられる。精神的自由権とは、精神的な内面や、その表現に関する自由である。これは近代立憲主義の展開において重視されてきた権利である。その一方で経済的自由権とは、資本主義社会が進展するなかで、経済的格差に対応するために保障されるようになった権利である[22)]。居住・移転の自由、職業選択の自由、財産権はいずれも基本的には経済的自由に分類される[23)]。

21） なお、同社は命令を受けて営業時間を短縮している。

22） 芦部（2019: 104-105）参照。

23） なお、移動の自由や営業の自由の根拠を、精神的自由である人格権を規定する13条に見出す見解もある（野中ほか 2012: 269-273, 458）。

⑵ 公共の福祉

では、営業の自由や移動の自由の制限は憲法違反であるといえるのか。これらの自由が制限されていることのみによって、憲法違反であるとはいえない。憲法は自由を基本的な価値とする一方で、「公共の福祉」という制限を加えている。憲法13条は「生命、自由及び幸福追求に対する国民の権利については、公共の福祉に反しない限り、立法その他の国政の上で、最大の尊重を必要とする」としており、権利・自由は公共の福祉による制約を受ける[24]。公共の福祉には様々な要素が含まれうるが、公衆衛生は公共の福祉に含まれると考えられている（渋谷 2015: 45)。よって、新型コロナ対策を含む公衆衛生保持のための権利の制限は認められるであろう。

実際に権利制限の妥当性を検討する際には、「二重の基準」論で権利制限の程度が検討される。これは、権利の性質によって許容される制約の程度を変える基準である。たとえば精神的自由権と位置づけられる権利については公共の福祉の基準は厳格に判定される。すなわち特定の権利が制限される際に、「人権を制約することがより少ない他の方法」がないかが検討される。これは、精神的自由権が今日の民主主義の基盤を成す価値観であると考えられているからである。その一方で、経済的自由権については、公共の福祉による強度の制約を受けると考えられている。特定の権利制限に、合理性すなわち正当な理由があると考えられれば、権利制限は許容される[25]。営業の自由や移動の自由は経済的自由と位置づけられているため、合理性のある権利の制限は認められることになる。そのため外出の自粛、営業時間短縮・休業が新型コロナ対策に資する場合、外出自粛要請、営業時間短縮・休業の要請・命令は憲法上認められるといえよう[26]。また、罰則のある措置も憲法は

24） 他国の憲法でも人権の一定の制限が見られる。たとえばフランス憲法の一部であるフランス人権宣言4条は、「自由は、他人を害しないすべてのことをなしうることに存する」としており、自由より他者加害の禁止を上位に位置づけている。

25） 高橋（2020: 139-141）参照。

26） ただ、営業の自由や移動の自由が精神的自由権として位置づけられる場合は、厳格な基準で権利の制限を評価する必要がある。コロナ禍では営業の自由や移動の自由が社会的に大きな関心を集めたため、これらの自由の理解については今後再検討が進む可能性もある。

認めている。[27]

(3) 生命権・生存権

コロナ禍における人権問題としては、上記の自由権に関する問題が、「自由」と「公共の福祉」という「お馴染みの図式」で語られることが多い（江藤 2020: 70）。しかし日本国憲法が保障する人権には、国家に積極的な行動を求める社会権も存在する。特に国家の積極的な行動の側面が、新型コロナ対策においては重要であると考えられる。ここで重要になるのが、生命権や生存権といった概念である。

生命権は憲法 13 条から導き出される権利である。新型コロナの治療薬が存在しないなか、2020 年 10 月 9 日現在で 1 万 7920 名が命を落としており（厚生労働省 HP）、また、医療体制が逼迫し、「災害時の状況に近い」と指摘された時期もあった（NHK 2021）。これは、新型コロナが生命権へのリスクになることを示している。[28] しかし従来、感染症や公衆衛生と生命権の関係性については憲法学において十分に議論されてこなかった。生命権に関して主に議論されてきたのは、死刑制度の合憲性を問うものなど、国家による生命の剥奪に問題意識を置いた、自由権に関するものであった。[29] しかし新型コロナにより問われているのは、生命への深刻なリスクとなる感染症に、実効的に対応できるか、という問題である。

新型コロナは、生命権の多面性を明らかにした。人権の基盤である生命権保障のために、国家は生命を奪う主体となりうる一方で、生命を保護する主体ともなりうるのである。前者の側面は、歴史的に想定されてきた国家権力

27） しかし罰則については比例原則を検討する必要がある。比例原則については、松本（2019: 63-66）参照。

28） しかし、新型コロナを生命権への脅威と捉えるかどうかについては様々な見解が想定される。たとえば 2019 年のがんによる死者は 37 万 6425 人であり、新型コロナと比べて多い。死者数だけみると、がんの方が新型コロナより深刻な生命権侵害の要因となっているし、新型コロナを生命権への脅威と評価すべきかは多様な視点からの社会的価値判断が必要であろう。しかし本章では、新型コロナの治療薬がなく、さらに医療体制が逼迫していることを踏まえ、新型コロナを生命権の脅威であると捉えている。

29） 生命権をめぐるこれまでの議論については、秋山（2021）参照。

表２　生命権の多面性

多面的な生命権	
自由権＝「国家からの自由」	社会権＝「国家による自由」
例：死刑制度の是非	例：公衆衛生・感染症への対応

出典：筆者作成

への警戒が基盤であり、自由権に関連する。自由権保障は、「国家からの自由」と呼ばれる。後者の側面は、国家権力の持つ積極的な要素に着目しており、社会権に関連する。社会権保障は国家が積極的な側面を持つことから、「国家による自由」と呼ばれる。それぞれの歴史的な展開が異なり、国家の役割も変わってくるために、一つの概念で位置づけるのは容易ではない。しかし新型コロナは、生命権保障のためにはこれら双方の側面の権利保障が必要であることを示している（表２）。

生命権に加えて、生存権も重要な要素である。生存権は「生命権」と名称が似ているが、異なる概念である。生存権の根拠として、「健康で文化的な最低限度の生活を営む権利」を規定する憲法25条が挙げられる。「健康で文化的な生活水準を維持」する最低限度の生活ができない状況に対応するために、生活保護法が整備されている。国民には同法に基づき生活保護を受ける権利が保障されている[30)]。

また、感染症対策も生存権の一部であると考えられることは重要である。憲法25条第２項は、「国は、すべての生活部面について、社会福祉、社会保障及び公衆衛生の向上及び増進に努めなければならない」と規定している。そのため公衆衛生は、生存権保障の基盤であることが憲法にも規定されている。

ここから明らかになるのは、人権保障のためには自由の保障だけでなく、国家の積極的な役割も重要であることである。従来の憲法学において、公衆

30）　しかし現実には、コロナ禍において困窮状態にある人が心理的葛藤や制度的問題によって生活保護へのアクセスが困難になることも多い。女性が直面している問題については、飯島（2021: 9-14, 84-85）参照。

衛生保持のための国家の役割は十分に検討されてこなかった。新型コロナ対策については、移動の自由や営業の自由の制限が感染症まん延防止のために必要と考えられれば、生命権保障の観点から自由の制限が必要であると考えられる可能性がある。自由制限の必要性を検討するためには科学的知見の導入が必要不可欠である一方で、科学的知見によっても明らかにならないことも存在することには留意する必要がある。しかし、人権を自由だけでなく、複眼的に捉え、社会権も含めて人権保障のあり方を検討する必要があるだろう。

4. その他の検討すべき課題

本章では特に営業の自由・移動の自由と公共の福祉、生命権・生存権を中心に検討を進めてきた。これら以外にも検討すべき課題がある。本章を閉じる前に、今後検討すべき課題を指摘する。

第一に、営業の自由、移動の自由を制限する際の補償の問題が挙げられる。営業の自由への制限に関しては、補償の必要性について議論されることがある。現時点では、日本国憲法がこうした補償を義務づけていると考えられているわけではない（山本 2021: 145）。また政策的な視点で協力金が支払われた事例はあるものの[31)]、法的に補償をどのように位置づけていくかは、今後パンデミックに対応できる社会を構想するために重要であろう。

第二に、緊急事態宣言のあり方である。日本では都市封鎖（ロックダウン）が行われず、自粛要請を基盤としてコロナ対策が行われてきた。その要因として、日本国憲法には緊急事態の規定が存在しないことが挙げられることがあり（産経新聞 2020）、感染症を想定した緊急事態条項を憲法に付加する必要があるとの議論も存在する（JIJI.com 2021c）。憲法に緊急事態条項を記載すべきか否かという議論とは別に、まず緊急事態宣言が憲法に規定されなく

31） 協力金の額が十分でないとの指摘もあるが、憲法における義務を基盤として補償されたものではないため、協力金の有無やその額を違憲として訴えることは困難である。

表３　新型コロナ対策と緊急事態宣言をめぐる各国の動き

新型コロナ対策と緊急事態宣言をめぐる各国の動き（一部）
憲法上の緊急事態を宣言 ポルトガル
法律に基づく緊急事態を宣言 米国、イタリア、ドイツ、フランス、ニュージーランド

出典：大林（2021）および Violante and Lanceiro（2020）を参考に筆者作成

とも都市封鎖は合憲と考えられることに留意する必要がある。先述のとおり、人権は「公共の福祉」の名の下に制限されうる。そのため都市封鎖も「公共の福祉」に資する限りにおいて可能であるといえる。さらに都市封鎖が公衆衛生保持のために必要であれば、生命権保障のための措置として位置づけることもできるであろう[32)]。そのため、都市封鎖を実現するために憲法に緊急事態の規定を追加する必要があるわけではない。それでは憲法に緊急事態を含めることにはどのような意味があるのか。権利の制約を伴う立法は国会で行われることになっているが、緊急事態において内閣によって迅速に立法、もしくはそれと同様に効果のある命令等の制定を可能にするのは、緊急事態を制定する法的な意味といえよう[33)]。また緊急事態においても保障されるべき権利を憲法に規定することもできる[34)]。ただ、コロナ禍において憲法における緊急事態を発出した国は限られており、日本と同様に憲法でなく法律の緊急事態の規定によりコロナ対策を行った国も多い（表3）。そのため、実際に憲法上の緊急事態宣言がどの程度感染症対策に必要かつ有効であるかは慎重な検討が必要であろう。

第三に、感染症に有効に対応するための法制度の他国との比較も重要であ

32）　しかし都市封鎖により外出が制限され、在宅勤務が増えた場合には、DV などの問題が深刻化する恐れがあり、ケアする必要があることには留意する必要がある。在宅勤務に関する DV の事例については、飯島（2021: 56-60）参照。

33）　たとえばフランスでは緊急事態の際に、首相や憲法院等への諮問ののち、大統領が様々な措置を取ることが認められている。1958 年フランス憲法 16 条。

34）　たとえばポルトガルでは、生命権、国籍、宗教の自由等は緊急事態であっても保障しなくてはいけないと規定されている（Violante and Lanceiro 2020）。

る。日本では、自粛要請を基盤として対策が行われた。他方でフランスなどでは、罰則付きの外出禁止が規定された。公衆衛生の視点も導入して各国の対策を評価した上で、各国の文化・社会的な視点も含めて望ましいと思われる対策・法制度を検討する必要がある[35)]。

おわりに

本章では、近代立憲主義の歴史や日本国憲法の経緯を紹介した上で、新型コロナ対策における憲法的な論点を示した。新型コロナは、従来重視されてきた個人の自由に挑戦を投げかけ、国家の積極的な役割を見出す必要性も指摘したといえる。従来の国家権力への警戒に加え、国家の感染症対策等の積極的な行為をいかに位置づけていくかが今後の課題となるであろう。

また、憲法は国家観を示しており、各国の歴史・文化等により異なる。そのため、他国を参照し、それを真似ることで日本の憲法のあり方や国家観を構築することができるとは限らない。しかし他国を参照することで現在の日本国憲法の現状が明らかになり、今後の国家観を検討する基盤となる。

新型コロナ対策と憲法の関係性の分析から導き出されるディスカッション・クエスチョンとしては、「ポスト・コロナ時代において、感染症対策のために国家が果たすべき役割は何か」が挙げられる。近代立憲主義が基盤とする歴史の教訓を基盤とし、権力からの個人の自由が重要視されてきた。しかしながら、今後人獣共通感染症のパンデミックが増える可能性が指摘されるなかで、感染症対策が重要であることに異論はないであろう。しかし国家が積極的に関与し、公衆衛生を保全していくとすれば、個人の自由は一定の制限を受ける可能性がある。国家の権限を強めることになることは、独裁国家の再来につながるのではないかとの懸念もありうる。感染症のリスクを考慮すべきポスト・コロナの時代において、権力と自由の関係性を検討する必要がある。国家観を構築するのは、司法を担う裁判官や立法を担う国会議員、行政を担う公務員だけでない。一人ひとりが自らの経験を基盤として、どの

35） 各国の新型コロナ対策と比較憲法的な分析については、大林編（2021）参照。

ような社会や国家の役割を構想するのか、他者と議論を深め、自らの国家観を構築していく必要がある。

※渡邊涼一氏（筑波大学大学院 人文社会ビジネス科学学術院 人文社会科学研究群国際公共政策学位プログラム 博士前期課程）に原稿へのコメントをいただいた。感謝申し上げる。

文 献

秋山肇 2021「COVID-19 対策と日本国憲法が保障する人権──新型インフルエンザ等対策特別措置法に着目して」[version 2; peer review: 2 approved]『F1000Research』10: 230.（https://doi.org/10.12688/f1000research.50861.2, 2021 年 9 月 28 日最終閲覧）

芦部信喜（高橋和之補訂）2019『憲法［第 7 版］』岩波書店

飯島裕子 2021『ルポ コロナ禍で追いつめられる女性たち──深まる孤立と貧困』光文社新書

一般社団法人アジア・パシフィック・イニシアティブ 2020『新型コロナ対応民間臨時調査会調査・検証報告書』ディスカヴァー・トゥエンティワン

江藤祥平 2020「匿名の権力──感染症と憲法」『法律時報』92(9): 70-77.

大林啓吾編 2021『コロナの憲法学』弘文堂

厚生労働省 HP「データからわかる──新型コロナウイルス感染症情報」（https://covid19.mhlw.go.jp/extensions/public/index.html, 2021 年 9 月 28 日最終閲覧）

古関彰一 2017『日本国憲法の誕生［増補改訂版］』岩波現代文庫

産経新聞 2020「ロックダウンできない日本　諸外国で目立つ強制力」（https://www.sankei.com/article/20200417-DVSZUCMPXZOVLHETO4DPEPOEYM/, 2021 年 9 月 28 日最終閲覧）

渋谷秀樹 2015「『公共の福祉』とは何か」岡田信弘・笹田栄司・長谷部恭男編『憲法の基底と憲法論──思想・制度・運用』信山社、43-61 頁

──. 2017『憲法［第 3 版］』有斐閣

高橋和之 2020『立憲主義と日本国憲法［第 5 版］』有斐閣

東京新聞 2021「東京都、営業短縮拒否の 27 店舗に命令　改正特措法で全国初『時短を強く発信』」（https://www.tokyo-np.co.jp/article/92292, 2021 年 9 月 28 日最終閲覧）

新型インフルエンザ等対策研究会編 2013『逐条解説　新型インフルエンザ等対策特別措置法』中央法規出版

内閣官房新型コロナウイルス感染症対策推進室 2020「新型コロナウイルス感染症緊急

事態宣言の実施状況に関する報告」(令和2年6月)(https://corona.go.jp/news/pdf/kinkyujitaisengen_houkoku0604.pdf, 2021年9月28日最終閲覧)。

松本和彦 2019「公法解釈における諸原理・原則の対抗――憲法学から見た比例原則・予防原則・平等原則」『公法研究』81: 60-82.

文部科学省 2020「新型コロナウイルス感染症対策のための学校における臨時休業の実施状況について」(https://www.mext.go.jp/content/20200424-mxt_kouhou01-000006590_1.pdf, 2021年9月28日最終閲覧)

野中俊彦・中村睦男・高橋和之・高見勝利 2012『憲法I［第5版］』有斐閣

坂野潤治 2020『明治憲法史』ちくま新書

山元一 2019『グローバル化時代の日本国憲法』放送大学教育振興会

山本真敬 2021「休業補償の憲法問題――憲法上『補償』は義務づけられるのか」大林啓吾編『コロナの憲法学』弘文堂、139-149頁

CALL4 2021「コロナ禍、日本社会の理不尽を問う(コロナ特措法違憲訴訟)」(https://www.call4.jp/info.php?type=items&id=I0000071, 2021年9月28日最終閲覧)

JIJI.com 2021a「『時短命令』違反4店、過料手続き　営業継続を確認、全国初――東京都」(https://www.jiji.com/jc/article?k=2021032900770&g=pol, 2021年9月28日最終閲覧)

――. 2021b「時短違反で過料決定　4店に25万円、全国初か――東京都」(https://www.jiji.com/jc/article?k=2021070600906&g=pol, 2021年9月28日最終閲覧)

――. 2021c「自民、コロナ禍てこに改憲論　『緊急事態創設』、立憲は反発」(https://www.jiji.com/jc/article?k=2021050900245&g=pol, 2021年9月28日最終閲覧)

NHK 2021「"災害時の状況に近い 医療ひっ迫" 新型コロナ 専門家会合」(https://www3.nhk.or.jp/news/special/coronavirus/medical/detail/detail_132.html, 2021年9月28日最終閲覧)

nippon.com 2020「新型コロナウイルス感染症流行・3月の主な動き」(https://www.nippon.com/ja/japan-data/h00730/, 2021年9月28日最終閲覧)

Violante, T. and Lanceiro, R. T., 2020, "Coping with Covid-19 in Portugal: From Constitutional Normality to the State of Emergency," Verfassungsblog, (https://verfassungsblog.de/coping-with-covid-19-in-portugal-from-constitutional-normality-to-the-state-of-emergency/,12 April 2020, 2021年9月28日最終閲覧)

Weber, M., 2004, "Politics as a Vocation," In Owen, D. S. and Strong, T. B. (eds.), *The Vocation Lectures "Science as a Vocation" "Politics as a Vocation,"* trans. by Livingstone, R., Hackett Publishing Company, pp.32-94.

3　強制的テレワークにより従業員が受けた影響

マニエ－渡邊レミー・ベントン キャロライン・内田　亨・
オルシニ フィリップ・マニエ－渡邊馨子

はじめに

2020年4月、新型コロナウイルスによる緊急事態宣言の影響を受け、オフィスで働く社員は突然、自宅待機やテレワークを強いられた。こうしたなか、日本が相対的にテレワークに成功していた理由は多く指摘されている。一つは、日本政府が早くから「3密」を避けるための運動を展開してきたことである。これにより、多くの企業がテレワークへ迅速に移行した。

本章では、こうした自宅でのテレワークの義務化が社員の個人生活や仕事にどのような影響を与えたかを明らかにし、議論する。そのため、アンケート調査を実施し、緊急事態宣言前と緊急事態宣言中の変化について尋ね、その結果から考察する。本節では、本アンケート調査から見えてきた実態を紹介する。

(1) 自宅でのテレワーク

日本の厚生労働省（2020）によると、自宅でのテレワークは月に数日から週に数日行われている。在宅勤務のメリットとしては、自然災害発生時に事業継続計画に基づいて事業を継続できること、柔軟な働き方を可能にすることで希少な人材を確保できること、ワークライフバランスや企業の社会的責任を推進できること、オフィススペースや通勤手当のコストを削減できることなどが挙げられている。また、育児や介護との両立、通勤時間の短縮による自由な時間の確保、通勤が困難な高齢者や障がい者の雇用機会の拡大、静かな環境での仕事による集中力の向上と生産性の向上など、従業員にとっての具体的なメリットも記載されている。ここではCOVID-19の蔓延を防ぐための緊急指示により、従業員が事前の研修もなく、選択の余地もなく在宅勤務を強いられた強制在宅勤務に焦点を当てる。

(2) ワークスタイル

Magnier-Watanabeら（2019）はコロナ禍以前に、仕事の自律性が高い日本人従業員は、仕事の満足度も高く、ひいては主観的幸福度も高いことを明らかにしている。自宅でのテレワークに関しては、その適合性は実行するタスクの性質、仕事のスタイルに依存することが示されている。ワークスタイルは、自律性（作業スケジューリングの自律性、意思決定の自律性、作業方法の自律性）、社会的支援（他者との関係、上司からの関係）、相互依存性（自分から働きかけ、受ける）、仕事に対する組織外の相互作用、他者からのフィードバックの観点から評価される。家庭で仕事をしなければならないなどの仕事と家庭の葛藤を減らすために自宅でテレワークをする場合には、勤務時間を選択する自律性が重要である（Jacobs and Gerson 2004）。

(3) 主観的幸福

主観的幸福（Subjective Well-being: SWB）はポジティブな感情とネガティブな感情、そして自分の人生やいくつかの生活領域に対する満足度から構成される。SWBは「ポジティブ・ネガティブ経験尺度（Scale of Positive and Negative Experience: SPANE）」や「人生満足尺度（Satisfaction with Life Scale: SWLS）」を用いて測定されることが多い（Diener et al. 2010）。幸福度測定委員会（内閣府 2011）は、日本が幸福度の重要性を受け入れていることを強調し、社会経済的条件（基本的ニーズ、住宅、子育て・教育、雇用、社会システム）、健康（身体的・心理的）、関連性（ライフスタイル、家族の絆、地域社会との結びつき、自然への親近感）の3つの主要領域を提案している。

(4) 仕事と家庭の葛藤

仕事と家庭の葛藤は、仕事と家庭をめぐる役割ストレスと役割間の葛藤に立脚した主要な研究テーマとなっている（Allen et al. 2012）。その方向性は、仕事が家庭に干渉する場合（Work interference with family: WIF）と、家庭が仕事に干渉する場合（Family interference with work: FIW）の２つに分かれている。日本は、女性がほとんどの家庭的役割を担うことが期待される保守的な社会であるため、働く女性は働く男性よりも高い仕事と家族の葛藤を経験すると予想される（Kim et al. 2012）。さらに、Kazekami（2020）は、日本におけるテレワークが仕事と家事を両立させるストレスを増大させることを明らかにしており、自宅でのテレワークの強制も同様に伝統的な性別の役割を崩壊させると予想される。

(5) 仕事のパフォーマンス

緊急事態宣言やテレワークの義務化によって仕事の成果は特に重要である。新しい労働条件が従業員の生産性に影響を与えているかどうかを確認し、問題点と実践的な解決策を明らかにすることが最も重要である。

(6) テレワークに対する満足度と継続意向の予測因子

したがってワークスタイル、主観的幸福感（Diener et al. 2010）、仕事と家族の葛藤（Golden et al. 2006; Kazekami 2020）、および知覚された仕事のパフォーマンス（Hartman et al. 1992; Lyubomirsky et al. 2005）の構成要素はテレワークに対する満足度や願望に影響を与えることが予想される。さらに、通勤時間や交通機関の利用時間は、テレワークに対する満足度やテレワークへの意欲と正の関係があるといわれているため、自宅と通常の職場の間の通勤時間についても尋ねた（Haddad et al. 2009）。在宅勤務の頻度は、仕事の満足度との間に関係があることが明らかになっている（Golden and Veiga 2005）。また、在宅勤務には仕事と非仕事の領域を分ける空間的な境界線を設定することが重要であるといわれている（Johnson et al. 2007）。

1. 調査の概要

(1) 調査設計

本研究では、緊急事態宣言に起因する強制的なテレワーク前とテレワーク最中における、ワークスタイル、主観的な幸福感、仕事と家庭の葛藤、および仕事のパフォーマンスの変化を質問した。つまり、回答者に新型コロナに関する特定の状況を思い返してもらい回答してもらった。

⑵ 対象者

筆者らは、2020年8月に日本のインターネット調査サービスを利用し、データを収集した。アンケート調査の対象は、首都圏である東京、神奈川、千葉、埼玉に在住・在勤する既婚の正社員400人である。これらの1都3県の人口は3600万人以上で、2018年現在の日本の人口1億2600万人の約29%を占めている（Statistics of Japan 2019）。回答は、20歳から59歳までの男女で構成され、平均年齢は44歳、標準偏差は9.6歳、70%が既婚者で子どもがおり、82%が共働きで、82%が大卒以上の学歴を持っている。回答者の勤続年数は10年以上が57%、一般社員として働いている人が53%、部下を持っている人が63%、社員数500人以上の大企業に勤めている人が56%、東京在住が52%、東京勤務が69%、片道の平均通勤時間は30分から60分という結果であった（表1）。

⑶ 調査方法と調査内容

すべての質問は7段階のリッカート尺度[1)]で行われた。

①ワークスタイルに関する質問内容

ワークスタイルに関しては次の内容を質問した。

仕事のスケジューリングの自律性、意思決定の自律性、仕事の方法の自律性、他者からの社会的支援、上司からの社会的支援、施した相互依存、受け

1）リッカート尺度とは、調査などの使われる尺度の一つである。リッカート尺度では、回答者は質問文にどの程度合意できるかを回答する。選択肢には3段階、5段階、7段階などがある。たとえば、7段階の尺度を使うと、選択肢には「全く同意できない」「同意できない」「あまり同意できない」「どちらともいえない」「ある程度同意できる」「同意できる」「非常に同意できる」となり、回答者はこれらの中から1つ選ぶことになる。

表１　回答者の属性

指標	N	%
ジェンダー		
男性	200	50.0
女性	200	50.0
年齢		
18 ～ 29 歳	38	9.5
30 ～ 39 歳	96	24.0
40 ～ 49 歳	130	32.5
50 ～ 59 歳	136	34.0
家族構成		
既婚者で子どもがいない	121	30.3
結婚して子どもがいる	279	69.8
配偶者の就労状況		
働いている	326	81.5
働いていない	74	18.5
教育		
高等学校	23	5.8
職業訓練校	36	9.0
短期大学	15	3.8
大学	270	67.5
大学院（修士）	47	11.8
大学院（博士）	9	2.3
勤続年数		
1 年未満	10	2.5
1 ～ 2 年	15	3.8
2 ～ 5 年	56	14.0
5 ～ 10 年	90	22.5
10 年以上	229	57.3
職業		
管理職（会社役員、上級管理職など）	103	25.8
専門職・技術職（弁護士、教師、医療従事者、エンジニアなど）	99	24.8
オフィスワーカー（一般事務、受付、秘書など）	125	31.3
販売スタッフ（セールス、販売員、レジなど）	37	9.3
サービス・ワーカー（カスタマーサービス、顧客サービスなど）	18	4.5
その他	18	4.5

指標	N	%
機能		
一般社員	212	53.0
セクションマネージャー／プロジェクトマネージャー	84	21.0
マネージャー	58	14.5
事業部長	11	2.8
シニアマネジメント／トップマネジメント	25	6.3
CEO ／レプリゼンタ／ディレクター	8	2.0
その他	2	.5
部下の人数		
0	148	37.0
1 ～ 5 人	92	23.0
6 ～ 10 人	58	14.5
11 ～ 30 人	51	12.8
31 人以上	51	12.8
会社の規模（社員数）		
10 人未満	23	5.8
10 ～ 49 人	39	9.8
50 ～ 249 人	73	18.3
250 ～ 499 人	43	10.8
500 人以上の社員	222	55.5
居住地		
東京	209	52.3
神奈川県	99	24.8
埼玉県	47	11.8
千葉	45	11.3
職場		
東京	277	69.3
神奈川県	67	16.8
埼玉県	30	7.5
千葉	26	6.5
通勤時間（片道）		
30 分未満	73	18.3
31 ～ 60 分	192	48.0
61 ～ 90 分	93	23.3
91 ～ 120 分	35	8.8
120 分以上	7	1.8

出典：筆者作成

た相互依存、組織外の相互作用、他者からのフィードバックの各項目からなり、いずれも仕事のデザイン質問票（Work Design Questionnaire）から引用している（Morgeson and Humphrey 2006）。

②主観的な幸福感に関する質問内容

主観的幸福度は、健康、経済、社会生活、レジャー、家族、仕事に関する生活領域の満足度と生活全般の満足度を用いて測定された。これらは、Loewe ら（2014）や Reuschke（2019）の項目を用いている。

③仕事と家庭の葛藤に関する質問内容

日本語版の仕事－家庭葛藤尺度（Work-Family Conflict Scale）（Watai et al. 2006）は、6 つの次元で構成されている（Carlson et al. 2003）。6 つの次元は 3 項目（時間、ストレス反応、行動）が仕事と家族間にもたらす双方向の関係から成り立つ：①残業のため、家族と過ごす時間が削られるなどの時間ベースの WIF、②両親の介護のため、仕事に専念できる時間が削られるなどの時間ベースの FIW、③上司に怒られ帰宅後意味もなく子どもに怒鳴るなどのストレス反応を伴う WIF、④病気の子どもが心配で仕事に集中できないなどのストレス反応を伴う FIW、⑤職場では部下に指示をするが家では妻の指示に従うなどの行動ベースの WIF、⑥家族とは価値観が一致しているが職場では様々な価値観を考慮する必要があるなどの行動ベースの FIW。

④仕事のパフォーマンスに関する質問内容

仕事のパフォーマンスは、Goodman and Syvantek（1999）のジョブ・パフォーマンス・スケールを参考にし、Organ（1997）の「組織市民行動（Organizational Citizenship Behavior）」（組織の従業員が自分の職務の範囲外の仕事をする「役割外行動」）の概念に基づいて、①利他主義（社員が休んだときに仕事を手伝う、仕事量が増えたときに他の人を助ける、必要以上の仕事を志願する）、②仕事に対する誠実性（時間を守る、休憩をほとんど取らない、勤務時間中に個人的なことに時間を使わない）、③タスク・パフォーマンス（仕事の目標を達成する、すべての仕事の要件を満たす、締め切りを守る）に関する 3 つの項

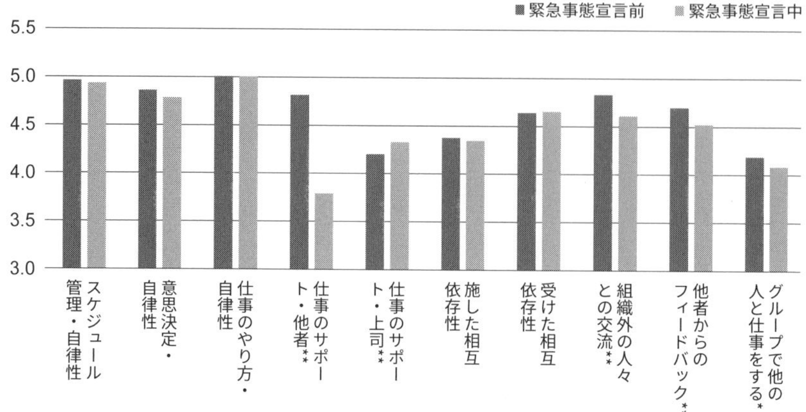

図1　全回答者の緊急事態宣言前と最中比較（*p<0.05; **p<0.001）
出典：筆者作成

目をそれぞれ選択して評価した。

2. 結果と考察

P値とは統計的仮説検定に基づき、帰無仮説が測定結果と比べて統計的に有意であるかどうか評価するために用いる。すなわち、*p<0.05の場合、その差が偶然によるものではなく95%の確率で生じる可能性があることを意味する。また、**p<0.001の場合、その差が偶然によるものではなく生じる確率が99%であることを意味する。

⑴ ワークスタイル

正規社員の仕事の自律性は、比較的高い傾向がある（1～7のスケールでほぼ5)。これは、日本の経営者が社員、特に正規社員へ仕事に関するより多くの裁量権を与えているので、予想できることである（Gagné and Bhave 2011）（図1）。自律性は、テレワーカーの仕事と家庭の葛藤の軽減につながるとされているが（Golden et al. 2006)、一方で、「仕事をしている時間」としていない時間が曖昧になり、「常に仕事をしている」状態になり、最終的にはオーバーワークになるため、仕事と家庭の葛藤が増大する可能性もある（Takami 2018）。

意外なことに、スケジュール管理、意思決定、仕事のやり方などに関連する自律性は、自宅での遠隔勤務に影響されなかった。テレワークでは、仕事を自己管理できる社員に、より高い自律性が求められることが多い（Feldman and Gainey 1997; Raghuram et al. 2003）。しかし、今回の回答者は、自主的なトレーニングや仕事の再設計もなく、強制的にテレワークに放り込まれた。回答者の強制的なテレワークの前と最中で最も大きな違いは、仕事のサポートであった。回答者は予想通り、緊急事態宣言の間は、以前に比べて職場で他の人と会う機会が大幅に減ったと感じていた（緊急事態宣言中：平均3.79、緊急事態宣言前：平均4.81、有意差あり）。しかし、上司は、強制的なテレワークの間、彼らの福利厚生に関心を示していた（緊急事態宣言中：平均4.33 vs. 緊急事態宣言前：平均4.20、有意差あり）。これは、上司が新しいリモートワークの条件に合わせて、部下に手を差し伸べていることを示唆している。

同時に、相互依存は、緊急事態宣言前と最中の両方で、テレワークの影響を受けなかった。予想通り、組織外の人々との交流は、緊急事態宣言中は緊急事態宣言前に比べて少なく（緊急事態宣言中：平均4.62、緊急事態宣言前：平均4.83、有意差あり）、通常の社員は新しい距離感のある状況下でなんとか仕事をこなしていることが示唆された。回答者は、緊急事態宣言の間、上司や同僚から仕事のパフォーマンスに関する情報のフィードバックを受ける回数が、緊急事態宣言以前に比べて大幅に減少したと考えている（緊急事態宣言中：平均4.52、緊急事態宣言前：平均4.70、有意差あり）。回答者は、緊急時には、一人ではなくグループで他の人と仕事をすることが、緊急事態宣言前に比べて重要ではないと感じていた（緊急事態宣言中：平均4.08、緊急事態宣言前：平均4.19、有意差あり）。これは、孤立した職場環境の中で、一部の一般社員が集団主義やチームワークの利点を疑問視したことを意味している。

(2) 主観的な幸福感

全体的に、正社員は生活に対する満足度がやや高く、1～7のスケールにおいてすべてのスコアが4を超えている（図2）。一般的には、健康と家族

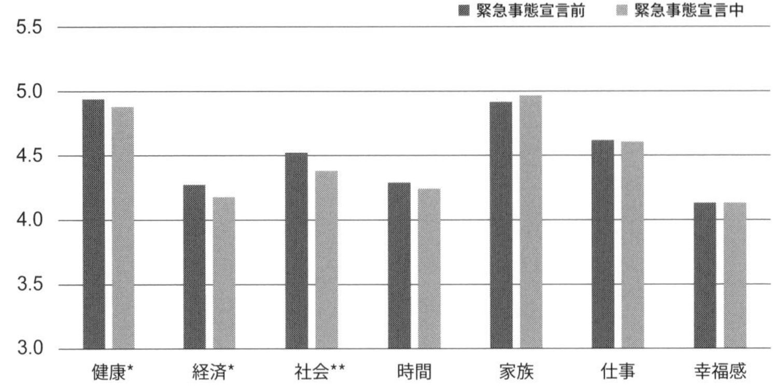

図２　全回答者の生活満足度の緊急事態宣言前と最中比較（*p<0.05; **p<0.001）
出典：筆者作成

に対する満足度が他の生活満足度よりも高い。しかし、緊急事態宣言とそれに伴うテレワークの義務化により、①健康（緊急事態宣言前：平均 4.94、緊急事態宣言中：平均 4.88、有意差あり）、②経済状況（緊急事態宣言前：平均 4.27 vs. 緊急事態宣言中：平均 4.17、有意差あり）、③社会生活（緊急事態宣言前：平均 4.52、緊急事態宣言中：平均 4.38、有意差あり）に対する満足度はわずかに低下した。

①健康に関する満足度が低いのは、物理的な（そして多くの場合、長時間の）通勤がないこと、スポーツクラブが閉鎖されていること、感染症を避けるために外出を避けていることなどによって、座りがちなライフスタイルになっていることが関係していると考えられる。このことから、回答者は、強制的なリモートワーク環境では、体を動かす術を見つけることができず、また、その意思もないように思われる。

②経済状況への満足度が低いのは、パンデミックの影響で企業活動が著しく低下したことにより、正社員の給与が削減されたり、残業代が支払われなくなったりしたことが原因と考えられる。

③社会生活への満足度が低いのは、友人や同僚と物理的に会うことができないことや、プライベートや仕事の場での食事が完全になくなってしまったことに起因すると思われる。

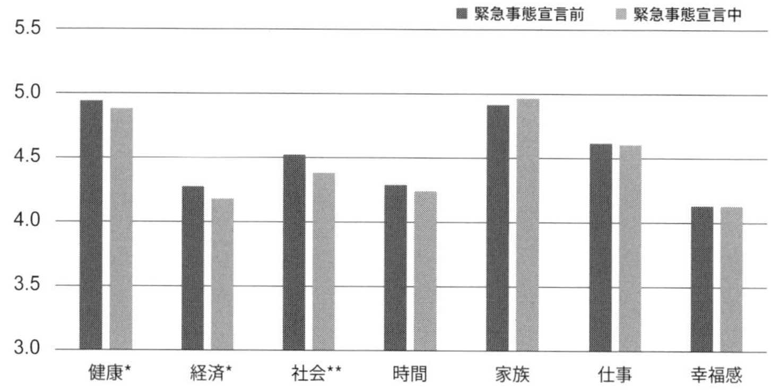

図３　男性回答者の生活満足度の緊急事態宣言前と最中比較（*p<0.05; **p<0.001）
出典：筆者作成

一方、男女別にみると、男性は、経済状況（緊急事態宣言前：4.15、緊急事態宣言中：4.05、有意差あり）および社会生活（緊急事態宣言前：平均 4.39、緊急事態宣言中：4.24、有意差あり）に対する満足度がわずかに低い（図 3）。

他方、女性は健康（緊急事態宣言前：平均 4.94、緊急事態宣言中：平均 4.85、有意差あり）と社会生活（緊急事態宣言前：平均 4.65、緊急事態宣言中：平均 4.52、有意差あり）への満足度は低い。しかし、家庭生活（緊急事態宣言前：平均 4.96、緊急事態宣言中：平均 5.09、有意差あり）への満足度は高い（図 4）。これは、女性は福祉に関心があり、男性は経済的な達成に関心があるという伝統的なジェンダー属性と一致する（Hofstede 2001）。しかし、緊急事態宣言の間、家庭で過ごす時間が増えたにもかかわらず、男性が家庭生活への満足度が変わらなかったのは驚くべきことである。

⑶ 仕事と家庭の葛藤

テレワークは、仕事と家庭の葛藤が減少する影響を与えており、時間ベースの仕事（緊急事態宣言前：平均 4.33、緊急事態宣言中：平均 4.04、有意差あり）や緊張を伴う仕事（緊急事態宣言前：平均 4.19、緊急事態宣言中：平均 3.92、有意差あり）が家庭内葛藤を大幅に減少させている（図 5）。また、男性と女性の間に顕著な違いはなかった。このことから、自宅でテレワークをするこ

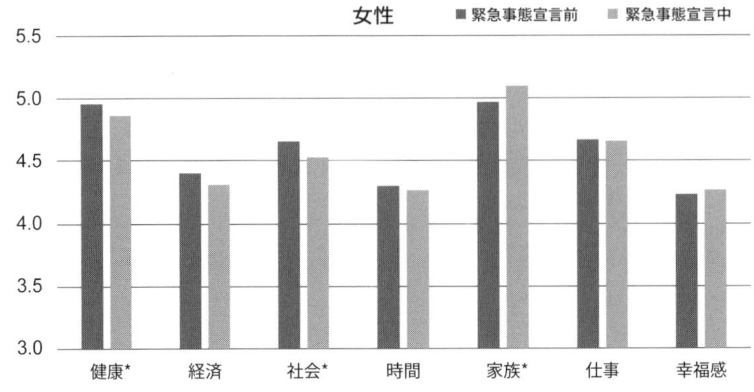

図４　女性回答者の生活満足度の緊急事態宣言前の最終比較（*p<0.05）
出典：筆者作成

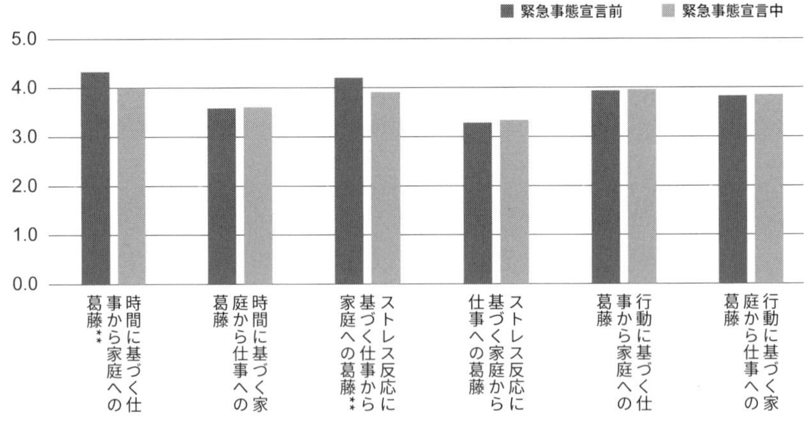

図５　回答者全員の仕事と家庭の葛藤の比較（*p<0.05; **p<0.001）
出典：筆者作成

とで、家庭の問題に仕事が干渉しにくくなることが示唆される。

⑷ 仕事のパフォーマンス

仕事のパフォーマンスを示す３つの指標はすべて、緊急事態宣言とテレワークによってマイナスの影響を受けている。①利他主義（緊急事態宣言前：

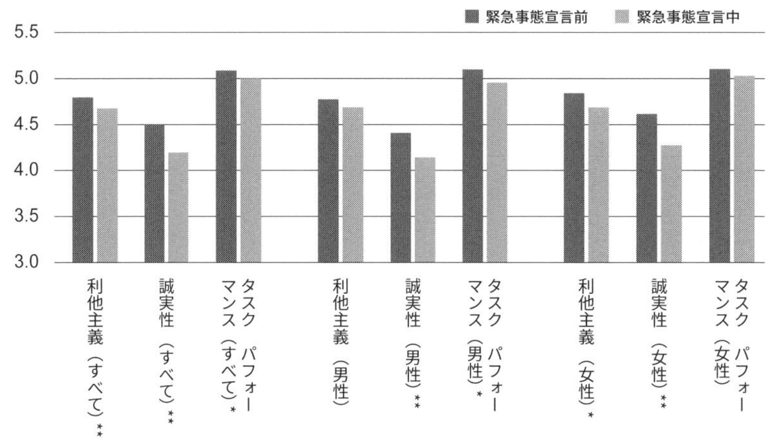

図６　仕事のパフォーマンスの緊急事態宣言前と最中比較（*p<0.05; **p<0.001）ワークスタイル
出典：筆者作成

平均 4.81、緊急事態宣言中：平均 4.70、有意差あり）、②仕事に対する誠実性（緊急事態宣言前：平均 4.52、緊急事態宣言中：平均 4.21、有意差あり）、③タスク・パフォーマンス（緊急事態宣言前：平均 5.10、緊急事態宣言中：平均 4.99、有意差あり）である（図６）。

これには、自宅でリモートワークをするための準備やトレーニングがなされていないこと、自己モチベーションの低下、気が散ることや邪魔が入ること、必要な情報やリソースへのアクセスが困難であること、仕事や作業によってはリモートワークに適さないものがあることなど、様々な要因が考えられる。

男女別にみると、男性は仕事に対する誠実性の低下（緊急事態宣言前：平均 4.42、緊急事態宣言中：平均 4.15、有意差あり）とタスク・パフォーマンスの低下（緊急事態宣言前：平均 5.10、緊急事態宣言中：平均 4.97、有意差あり）が見られ、女性は利他主義の低下（緊急事態宣言前：平均 4.84、緊急事態宣言中：平均 4.69、有意差あり）と仕事に対する誠実性の低下（緊急事態宣言前：平均 =4.62、緊急事態宣言中：平均 4.27、有意差あり）が見られた。

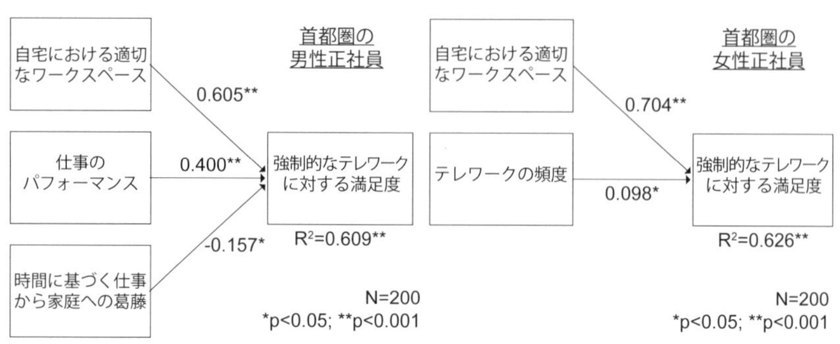

図７　テレワークの義務化に対する満足度の予測要因（男女別）
出典：筆者作成

(5) 新型コロナ後のテレワーク義務化の満足度と継続意向に影響する要因

我々は、テレワークに関して、①ワークスタイル、②主観的幸福感、③仕事と家庭の葛藤、④仕事のパフォーマンスが、パンデミック収束後の強制的なテレワークに対する満足度とテレワークの継続願望に影響すると予測した。さらに、他のいくつかの研究では、通勤時間や交通渋滞に費やす時間が、テレワークに対する満足度やテレワークへの欲求と関連しているとされているため、回答者には通勤時間について尋ねた（Haddad et al. 2009）。そして、新型コロナによる強制テレワークの満足度と、パンデミック後も自宅でのテレワークを継続したいという回答者の意向に、どの予測要因が影響するかを探索した。

①テレワークの義務化に対する満足度の予測要因

我々の調査では、男女ともに自宅に十分なワークスペースがあることが、テレワーク義務化に対する満足度の主要な予測要因となった（図７）。このように、個室や仕事をするのに十分なスペース、誰にも邪魔されない静かな場所があることは、自宅でのテレワークの満足度を高めるために重要である。

男性の場合、仕事のパフォーマンスが高いことと、緊急事態の際に時間的な WIF の葛藤が少ないことが満足度の予測要因に挙げられる。したがって、男性は仕事を強く意識し、仕事に集中でき、家族との間に葛藤が時間的に囚われないことを重視する。

一方、女性の場合、圧倒的に十分なワークスペースを確保できることが、テレワークに対する満足度に影響を与えていた。そして、テレワークの頻度も高いことが、わずかに満足度と関連していた。このことから、女性がテレワークを義務化されたことに対して満足するかどうかは、快適に仕事ができるためのスペースと機会があるかどうかにかかっていることがわかる。男性とは異なり、仕事のパフォーマンスはテレワークに対する満足度の予測要因ではない。

こうした夫婦ともに自宅でのリモートワークの状況を踏まえて男女の違いに関心を寄せているのが「新しい働き方」の専門家であるフランスの社会学者フレデリック・ルトゥルノー（Frédérique Letourneux）である。同氏は、両親がテレワークをしている場合、仕事と家庭の生活が分離されていないため、最初に被害を受けるのは母親であると主張している。重要な課題の一つは、どちらの仕事が最も重要であると考えるかを決めることであり、その結果、どちらが学校に行けなくなった子どもの世話をすることになるかを決めることである（Rousset 2020）。

ルトゥルノーは、自宅でのテレワークを義務づけることで、女性の立場がさらに弱くなることを懸念している。彼女は、テレワークを成功させるには、自宅を仕事に適した環境にする必要があると主張している。自宅でのテレワークによって、私的領域と職業的領域の区別が曖昧になる。たとえば、親のコンピュータは家庭内の空間の一部であり、家族で共有されていることさえある。ルトゥルノーは、夫婦において自分のための空間と時間の交渉は偏っていて、男性がトップに立つことが多いと主張している。女性は結局、家事をした後のわずかな時間に、台所や居間のテーブルで仕事をすることになるのである（Rousset 2020）。マリオン・ルーセット（Marion Rousset）の懸念は、我々の調査結果によって裏付けられている。緊急事態宣言の間、女性は男性に比べて自宅でのワークスペースが適切でないと感じており、数週間のテレワークの義務化によっても、女性が家庭での男性の立場を大黒柱と捉えていることは根本的には変わっていないことが示唆されている。

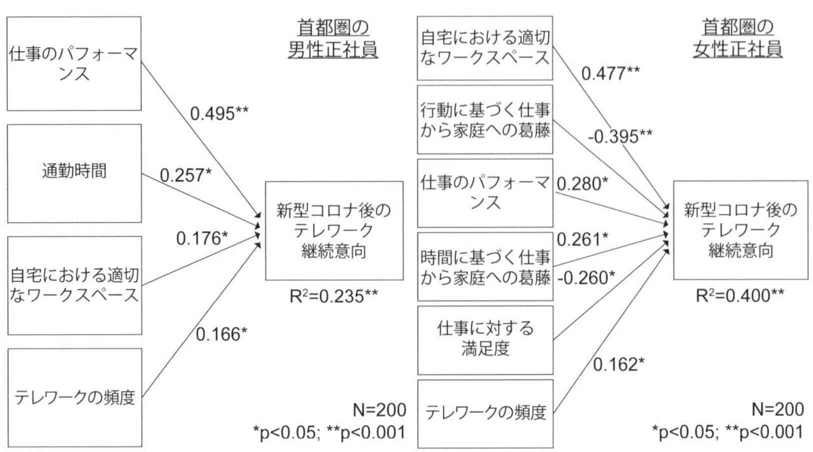

図８　新型コロナ後にテレワークを継続したいと思う人の予測要因（男女別）
出典：筆者作成

②新型コロナ後に自宅でのテレワークを継続する意向の予測要因

次に新型コロナ後の自宅でのテレワーク継続意向について考えてみる。男性の場合は、自宅でのテレワークにおいて仕事のパフォーマンスが高いことおよび通勤時間が長いことが、新型コロナ後に自宅でのテレワークを継続したいと思う２大予測要因となっていた（図８)。一方、女性の場合は、自宅に十分なワークスペースがあることおよび行動ベースのWIF葛藤が少ないことが、自宅でのテレワークを継続したいかどうかの２大予測要因となっていた。

このことから、男性は仕事に関連する要因が、女性は家庭に関連する要因が、それぞれ動機づけとなることが読み取れる。男性の場合、自宅でのパフォーマンスが十分であり、オフィスでのパフォーマンスと同等であると納得できる場合にのみ、自宅でのテレワークを検討する。また、通勤時間が長ければ、将来的にも自宅でのテレワークを継続する動機になると思われる。一方、女性の場合、新型コロナの感染拡大が止まった後にテレワークをするためには、自宅に適切なワークスペースをつくることができるかどうか、また、義務づけられた行動や考え方が自宅で用いるものと矛盾しない仕事をしているかどうか、つまり仕事と家庭の葛藤を最小限に抑えることができるかどうか、ということが動機になると読み取れた（Carlson et al. 2003）。

おわりに

本章では、パンデミックと、それに伴う日本の緊急事態宣言を受けて、日本企業の屋台骨ともいえる既婚の正社員に強制的にテレワークが課せられたことによる影響について探索した。今回の調査では、東京およびその周辺地域において、テレワークの実施前と実施中におけるワークスタイル、主観的な幸福感、仕事と家庭の葛藤、仕事のパフォーマンスの変化、テレワークに対する満足度、テレワークの継続意向、およびそれらの予測要因について分析した。

本研究の第一のポイントは、ワークスタイルにおいて、自宅でのテレワークが義務化されたことによる影響を明らかにすることである。自宅で仕事をするには、劣悪な環境と明らかなスペース不足にもかかわらず、全体的に、正社員は生活に対する満足度がやや高く、1～7のスケールにおいてすべてのスコアが4を超えていた。意外なことに、回答者が受けている仕事の自律性は、テレワークの義務化による影響を受けていなかった。これは、雇用が安定している正社員は、仕事の義務を果たすことで、一般的に上司、他の社員、顧客から信頼されていることを示しているのかもしれない。一方、マイナス面としては、仕事を遂行する上で、リモートワーク技術の限界のためか、テレワーク中は他者からの仕事上のサポートやフィードバックが少ないと回答している。しかし、上司の側からすると、部下に手を差し伸べていることが示唆された。

本研究の第二のポイントは、主観的な幸福感において、一般的には健康と家族に対する満足度が高いことが明らかになったことである。しかし、自宅におけるテレワークによって、健康への満足度が低下した。これは、緊急事態宣言によって外出できず、座りがちなライフスタイルになっていることが関係していると考えられる。また、男性は、経済状況に対する満足度が低下した。これは、残業代の減少、ボーナスの減少、給与の削減などによるものであろう。一方、女性は、家庭生活への満足度がわずかに上昇し、健康への満足度が低下した。

本研究の第三のポイントは、仕事と家庭の葛藤において、男女ともに、テレワークによって仕事上の時間やストレスの葛藤が家庭に与える影響が低くなったことである。これは、日本の社員が比較的長時間労働をしているために、家族同士が接する時間的短さをテレワークが緩和しているかもしれない。

本研究の第四のポイントは、テレワークが義務化された結果、仕事のパフォーマンスのすべての側面（利他主義、仕事に対する誠実性、タスク・パフォーマンス）が悪化したことである。中でも明らかに仕事に対する誠実性（時間を守る、休憩をほとんど取らない、勤務時間中に個人的なことに時間を使わない）の落ち込みが大きかった。

本研究の第五のポイントは、テレワークの義務化に対する満足度の予測要因を明らかにしたことである。我々の調査では、男女ともに自宅に十分なワークスペースがあることが、テレワーク義務化に対する満足度の主要な予測要因となった。このように、個室や仕事をするのに十分なスペース、誰にも邪魔されない静かな場所があることは、自宅でのテレワークの満足度を高めるために重要である。この結果は、郊外の密集していない地域に住み、家が広い正社員は、自宅でのテレワークに有利である可能性を示唆しており、企業は社員が適切なホームオフィスをつくれるよう支援すべきである。

本研究の第六のポイントは、テレワークの義務化に対する満足度の予測要因を明らかにしたことである。自宅でのテレワークを継続する意思については、男性では「仕事のパフォーマンスを実感していること」と「通勤時間が長いこと」が最も強い予測要因となった。女性の場合は、「自宅に十分なワークスペースがある」ことと、「非常時に行動ベースのWIF葛藤が少ない」ことが予測要因となった。

以上の知見は、個人、企業、政府がテレワーク義務化の影響をよりよく理解し、社員の幸福度と仕事のパフォーマンスを最大限に高めるための対策を考案するのに役立つ。このことは、日本をはじめとする多くの国が感染力の強い新型コロナの変異株の出現によって、緊急事態宣言やロックダウンに突入していることから、特に重要である。一旦新型コロナが収まったとしても、またいつ他の感染症が出現するかわからない。オフィスワーカーは当面の間、社会的距離を置くことやリモートワークを続けなければならないだろう。また、重要なことであるが、今回の調査結果は、デジタル技術のさらなる進歩に伴い、企業が緊急事態宣言ではない状況でのテレワークの準備や実施を成功させるためにも役立つ。今回のように緊急事態宣言が発出され、自宅でのテレワークが義務づけられたことは、社員にとっても雇用者にとっても、新しい仕事の柔軟性を試す前例のない機会となった。また、テレワークが実行可能な勤務形態として存続するためには、個人と組織の両方に適した方法を交渉し、採用する必要があるだろう。

最後に、本章のディスカッション・クエスチョンを示す。本研究に使用したアンケート調査は2020年最初の緊急事態宣言下における意識調査であり、その後繰り返された緊急事態宣言およびステイホームは含まれていない。何度も押し寄せる緊急事態宣言に対応する個人、企業、政府のテレワークに対して意識は変わっただろうか。特にワークスタイル、主観的幸福度、仕事と家庭の葛藤、職務遂行能力などの項目を念頭に今後テレワークをより充実させるためにどのような対策が考えられるだろうか。

◆文献

厚生労働省 2020「『自宅でのテレワーク』という働き方」厚生労働省（https://www.mhlw.go.jp/bunya/roudoukijun/dl/pamphlet.pdf, 2021年6月6日最終閲覧）

内閣府 2011「幸福度に関する研究会報告――幸福度指標試案」内閣府（https://www5.cao.go.jp/keizai2/koufukudo/pdf/koufukudosian_sono1.pdf, 2021年6月6日最終閲覧）

渡井いずみ・錦戸典子・村嶋幸代 2006「ワーク・ファミリー・コンフリクト尺度（Work-Family Conflict Scale: WFCS）日本語版の開発と検討」『産業衛生学雑誌』48巻3号、71-81頁

Allen, T. D., Johnson, R. C. et al., 2012, "Dispositional Variables and Work–Family Conflict: A Meta-Analysis," *Journal of Vocational Behavior* 80(1): 17-26.

Cabinet Office of Japan, 2011, "Measuring National Well-Being: Proposed Well-Being Indicators."（https://www5.cao.go.jp/keizai2/koufukudo/pdf/koufukudosian_english.pdf, 2021年6月6日最終閲覧）

Carlson, D. S., Derr, C. B. and Wadsworth, L. L., 2003, "The Effects of Internal Career Orientation on Multiple Dimensions of Work-Family Conflict," *Journal of Family and Economic Issues* 24(1): 99-116.

Diener, E., Wirtz, D. et al., 2010, "New Well-Being Measures: Short Scales to Assess Flourishing and Positive and Negative Feelings," *Social Indicators Research* 97(2): 143-156.

Feldman, D. C. and Gainey, T. W., 1997, "Patterns of Telecommuting and their Consequences: Framing the Research Agenda," *Human Resource Management Review* 7(4): 369-388.

Gagné, M. and Bhave, D., 2011, "Autonomy in the Workplace: An Essential Ingredient to Employee Engagement and Well-Being in Every Culture," In Chirkov, V. I., Ryan, R. M. and Sheldon, K. M., (eds.), *Human Autonomy in Cross-Cultural Context: Perspectives on the Psychology of Agency, Freedom, and Well-Being*, Springer, pp.163-187.

Golden, T. D. and Veiga, J. F., 2005, "The Impact of Extent of Telecommuting on Job Satisfaction: Resolving Inconsistent Findings," *Journal of Management* 31(2): 301-318.

Golden, T. D., Veiga, J. F. and Simsek, Z., 2006, "Telecommuting's Differential Impact on Work-Family Conflict: Is There No Place Like Home?" *Journal of Applied Psychology* 91(6): 1340-1350.

Goodman, S. A. and Svyantek, D. J., 1999, "Person–Organization Fit and Contextual Performance: Do Shared Values Matter," *Journal of Vocational Behavior* 55(2): 254-275.

Haddad, H., Lyons, G. and Chatterjee, K., 2009, "An Examination of Determinants Influencing the Desire for and Frequency of Part-Day and Whole-Day Homeworking," *Journal of Transport Geography* 17(2): 124-133.

Hartman, R. I., Stoner, C. R. and Arora, R., 1992, "Developing Successful Organizational Telecommuting Arrangements: Worker Perceptions and Managerial Prescriptions," *S.A.M. Advanced Management Journal* 57(3): 35-42.

Hofstede, G., 2001, *Culture's Consequences: Comparing Values, Behaviors, Institutions and Organizations Across Nations,* Sage publications.

Jacobs, J. A. and Gerson, K., 2004, *The Time Divide: Work, Family, and Gender Inequality*, Harvard University Press.

Johnson, L. C., Andrey, J. and Shaw, S. M., 2007, "Mr. Dithers Comes to Dinner: Telework and the Merging of Women's Work and Home Domains in Canada," *Gender, Place & Culture* 14(2): 141-161.

Kazekami, S., 2020, "Mechanisms to Improve Labor Productivity by Performing Telework," *Telecommunications Policy* 44(2): 101868.

Kim, I. H., Muntaner, C. et al., 2012, "Welfare States, Flexible Employment, and Health: A Critical Review," *Health Policy* 104(2): 99-127.

Loewe, N., Bagherzadeh, M. et al., 2014, "Life Domain Satisfactions as Predictors of Overall Life Satisfaction among Workers: Evidence from Chile," *Social Indicators Research* 118(1) 71-86.

Lyubomirsky, S., King, L. and Diener, E., 2005, "The Benefits of Frequent Positive Affect: Does Happiness Lead to Success?" *Psychological Bulletin* 131(6): 803-855.

Magnier-Watanabe, R., Benton, C. F. et al., 2019, "Designing Jobs to Make Employees Happy? Focus on Job Satisfaction First," *Social Science Japan Journal* 22(1): 85-107.

Morgeson, F. P. and Humphrey, S. E., 2006, "The Work Design Questionnaire (WDQ): Developing and Validating a Comprehensive Measure for Assessing Job Design and the Nature of Work," *Journal of Applied Psychology* 91(6): 1321-1339.

Organ, D. W., 1997, "Organizational Citizenship Behavior: It's Construct Clean-Up Time," *Human performance* 10(2): 85-97.

Raghuram, S., Wiesenfeld, B. and Garud, R., 2003, "Technology Enabled Work: The Role of Self-Efficacy in Determining Telecommuter Adjustment and Structuring Behavior," *Journal of Vocational Behavior* 63(2): 180-198.

Reuschke, D., 2019, "The Subjective Well-Being of Homeworkers across Life Domains," *Environment and Planning A: Economy and Space* 51(6): 1326-1349.

Rousset, M., 2020, Le télétravail risque de faire retomber une part du travail féminin dans l' invisibilité. Telerama, June 12, 2020.（https://www.telerama.fr/enfants/le-teletravail-risque-de-faire-retomber-une-part-du-travail-feminin-dans-linvisibilite-6651732.php, 2021 年 6 月 6 日最終閲覧）

Statistics of Japan, 2019, "Population Estimates," e-Stat, portal site of official statistics of Japan.（https://www.e-stat.go.jp/en, 2021 年 6 月 6 日最終閲覧）

Takami, T., 2018, "Challenges for Workplace Regarding the Autonomy of Working Hours: Perspective for the Prevention of Overwork," *Japan Labor Issues* 2(5): 50-63.

II.

新型コロナと福祉・教育

4 COVID-19 感染拡大が高齢者の活動に及ぼした影響

山田　実

はじめに

2019 年末に最初の感染者が確認されたとされる新型コロナウイルス（COVID-19）の猛威は、瞬く間に世界中へ拡がり、2020 年初頭には全世界の人々を震撼させることとなった。未知のウイルスの実態把握が優先された最初の緊急事態宣言期間中（2020 年 4 月頃）、我々の生活様式は一変し、マスクの着用、フィジカル／ソーシャルディスタンスの確保、密閉空間の回避、手指衛生の徹底などが呼びかけられた。また、オフィスワークからリモートワークへ、飲食店や商業施設は閉鎖、学校は休校やオンライン講義など、すべての世代の人々がこれまでにない環境での生活が強いられることとなった。

このような一変した環境に大きな戸惑いを感じ、そして十分に適応できなかったのが高齢者であろう。感染が確認されるようになった当初より、高齢者では重症化しやすいことが報道されたことで、高齢者の活動は著しく制限されることとなった。また、これまで重視されてきた介護予防事業（介護予防・生活支援サービス事業および一般介護予防事業）は、全国的に中止および中止要請を余儀なくされるなど、高齢者は活動の機会を大きく喪失することとなった。ここでは、コロナ禍で高齢者に及んだ影響について、老年学を専門とする筆者らの調査結果に基づいて解説する。

1. 老年学と超高齢社会

(1) 老年学

老年学（gerontology）とは、加齢に関わる様々な周辺情報を包含する学問領域である。老年学で扱う分野は幅広く、老年期における疾病や障害、心理や社会面、さらに制度や環境など多岐にわたることから、まさに学際的学問とされる（図1）。現在、わが国においては、日本老年学会という7つの学会（日本老年医学会、日本老年社会科学会、日本基礎老化学会、日本老年歯科医学会、日本老年精神医学会、日本ケアマネジメント学会、日本老年看護学会）で構成される学術組織に加え、日本老年薬学会、日本老年療法学会などがあり、幅広い専門分野によって老年学の学術的基盤構築が進められている。

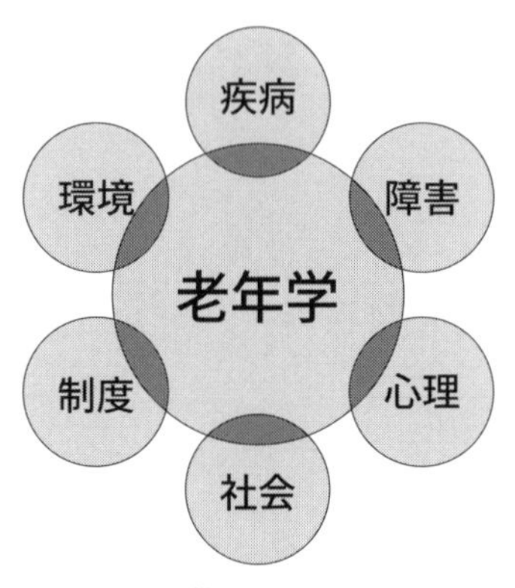

図1　老年学とは
出典：筆者作成

(2) 超高齢社会と介護予防

2021年時点で、わが国の高齢化率は29.1%となり、世界随一の長寿国として超高齢社会を突き進んでいる。このような社会においては、医療費および介護給付費などの社会保障費の増加が問題視されており、いかにこれを抑制するかが喫緊の課題となっている。その中で、2006年度より導入された介護予防事業に大きな期待が寄せられている。

介護予防事業は、要介護状態になるのを防ぐ／先送りにするという目的で実施されており、現在は介護予防・生活支援サービス事業および一般介護予防事業で構成される総合事業と呼ばれる事業の中で実施されている（厚生労働省老健局 2018）（図2）。介護予防・生活支援サービス事業には訪問型および通所型サービスなどがあり、一般介護予防事業には普及啓発事業や地域介

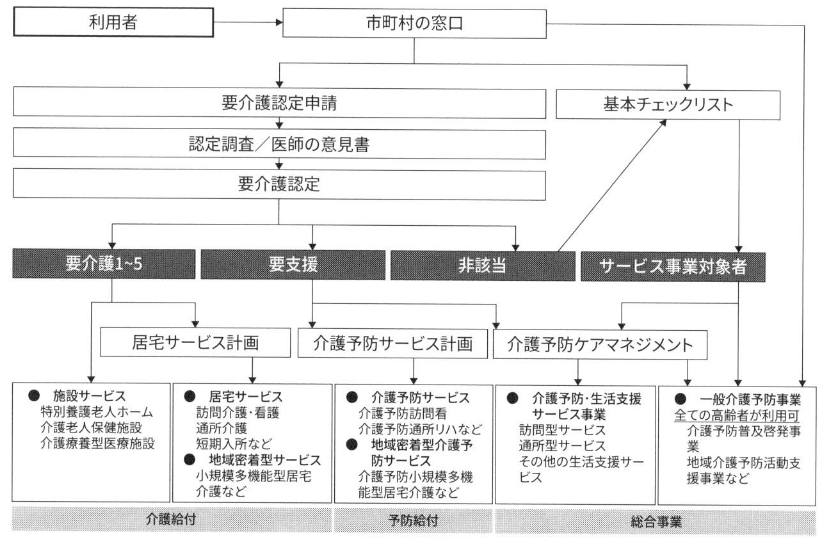

図２　介護予防（総合事業）の位置づけ
出典：厚生労働省資料を参考に筆者作成

護予防活動支援事業などがある。近年では、住民が主体的に介護予防に取り組む「通いの場」と呼ばれるものがあるが、これは一般介護予防事業に含まれるものである。このような事業へ参加することによる介護予防効果も示されるようになっており（Yamada and Arai 2017）、国、都道府県、地方自治体、さらには各種専門職団体など様々な機関が連携しながら介護予防を推進している。

2. フレイルと介護予防

(1) フレイル

フレイルとは、加齢にともなって生理的予備能が減少し、様々なストレスに対する脆弱性が亢進した状態である。つまり、要介護に至る前段階とされ、前述の介護予防でも主要な対象に位置づけられている。このフレイルには、身体的、心理・精神的、社会的という３つの要素が含まれており、それぞ

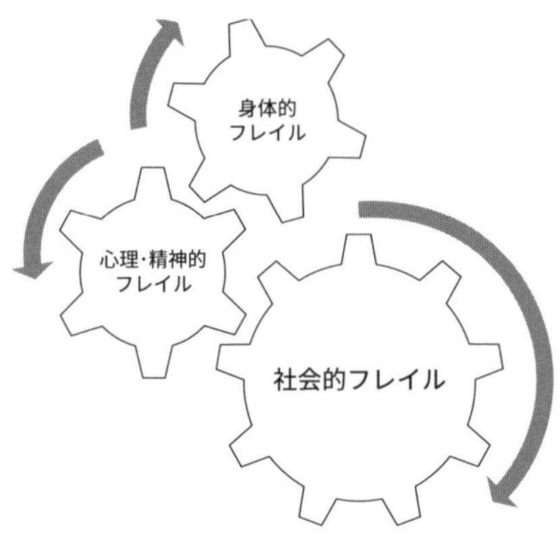

図３　フレイルの３要素
出典：筆者作成

れが互いに関連し合いながら、要介護へと進展させていく（図3)。なお、フレイルの前段階としてプレフレイル、さらにその前段階（かなり元気な状態）としてロバストと呼ばれる状態が定義されている。

フレイルは、有病率が高く、有害健康転帰を招きやすいことから、学術的にも政策的にも注目されている概念である。地域在住高齢者におけるフレイル有病率は約10％であることが報告されており（Satake et al. 2017)、年齢依存的にこの有病率も上昇することがわかっている（Yamada and Arai 2015)。また、フレイルを有する場合には、その後、転倒、日常生活活動制限、入院、要介護、死亡などの有害健康転帰を招きやすいことが報告されており（Fried et al. 2001; Fhon et al. 2006; Kojima 2018; Yamada and Arai 2018)、フレイルの発症／進展予防が重要視されている。

⑵ フレイル対策・介護予防と３要素（運動・栄養・社会参加）

フレイル対策・介護予防には、運動、栄養、それに社会参加が重要と考えられており、これらを継続して実施していくことが将来的な介護給付費・社会保障費の抑制につながると考えられている。これら３つの要素（運動、栄養、社会参加）はいずれも欠かすことのできないものであり、前述の介護予防・生活支援サービス事業および一般介護予防事業などでも、これらの要素に留意しながら介護予防を推進している。この３要素は、自身の健康を運ぶ（推進する）三輪車（オート三輪）の車輪の役割を担っており、様々な逆境に抵抗しながら健康を推進し介護予防を実現するためには、すべての車輪を適切に回転させることが重要と考えられる（図４)。

図４　運動、栄養、社会参加
出典：筆者作成

⑶ 通いの場

「通いの場」とは住民が主体的に取り組む介護予防活動のことで、現在では全国に10万カ所以上の拠点がある。通いの場の開催形式は特に定められておらず、週に１回から月に１回程度の頻度で公民館などの拠点に集まり、体操や趣味活動、喫茶、食事会などが行われている。行政が主体的に実施する介護予防・生活支援サービス事業とは異なり、通いの場による介護予防活動は永続的に実施することが可能であり、介護予防の主要な方策の一つとしてその効果に期待が寄せられている。なお、前述のように介護予防には「通いの場」に限らず社会参加を促すことが重要であり、就労やボランティア、各種カルチャースクールへの参加なども貴重な介護予防手段となっている（図５）。しかし、この社会参加は大規模自然災害や新興感染症の感染拡大によって大きな制限を受けることになる。

⑷ 自然災害と要介護

大規模自然災害発生時には避難所への一時的避難、場合によっては仮設住宅や新たな地域での生活と、中長期的に大きく生活拠点が変化することがある。2011年に発生した東日本大震災では、大地震と大津波で広範囲に甚大な被害を及ぼすことになった。しかし、この影響に留まらず、被災地域の高齢者では、その後運動機能の低下や要介護認定割合の増加が確認されている

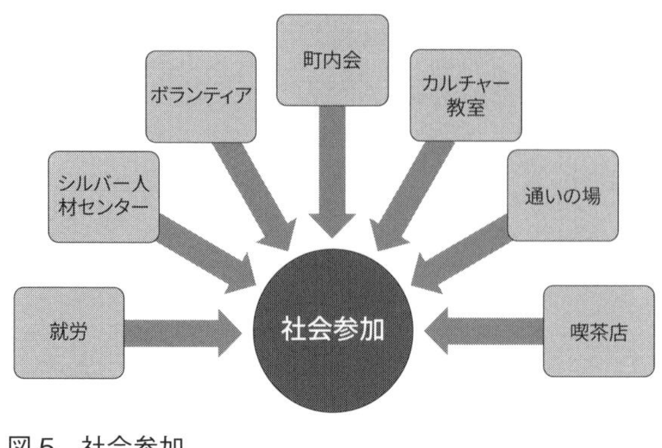

図５　社会参加
出典：筆者作成

(Ito et al. 2016; Tomata et al. 2015)。これには、運動実施困難という直接的要因以外にも、心理的要因や社会的要因などが関係していると考えられており、大規模自然災害後には長期に及ぶ支援が必要となることが示唆されている。

3. COVID-19 感染拡大とフレイル

(1) COVID-19 感染拡大と高齢者の身体活動

2020 年 4 月、COVID-19 の感染拡大により最初の緊急事態宣言が発出され、高齢者の生活状況は一変することとなった。筆者らは、地域在住高齢者を対象に、感染拡大前の 2020 年 1 月と感染拡大期間中である 2020 年 4 月における身体活動時間を調査した。その結果、感染拡大期間中には、高齢者の身体活動時間は約 30% も減少していることがわかった（Yamada et al. 2020a）（図 6）。当初、フレイル高齢者のみが大きく制限を受けているのではないかと予想していたが、実際にはどのような状態の高齢者でも同じように約 30% の身体活動制限を来していた。

2020 年 6 月、最初の緊急事態制限が解除され、社会も少しずつ動き出したことで、高齢者の生活も徐々に元の状態へと回復することが確認できた。この時点で、再び身体活動調査を実施したところ、感染拡大前と同等の身体

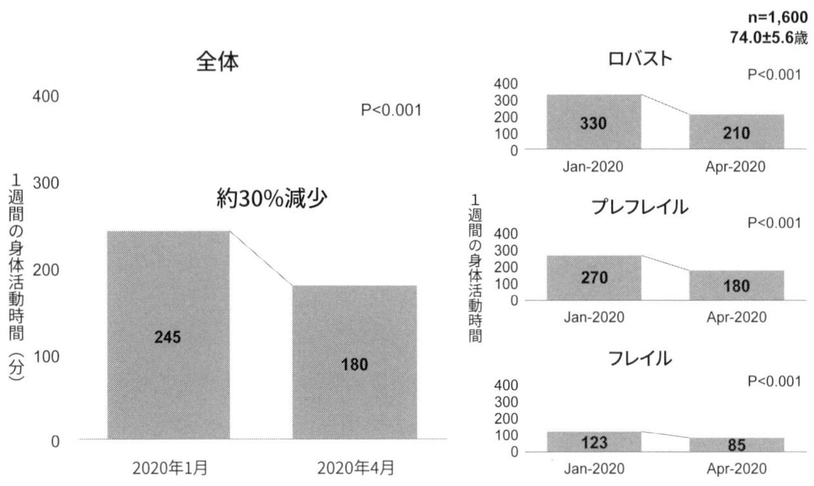

図６　緊急事態宣言下での身体活動制限
出典：筆者作成

活動時間にまで回復しており、感染拡大の波に応じて身体活動も変化することがうかがえた（Yamada et al. 2020b）（図７）。しかし、すべての高齢者で同様の回復が得られたわけでなく、独居かつ近隣住民との交流が乏しい高齢者では、身体活動が低下した状態を持続していた。

⑵ COVID-19感染拡大と自主的な運動の実施

緊急事態宣言下で高齢者の身体活動は大きく制約を受けることとなったが、そのような中でも運動を継続できていた高齢者も存在する。約半数（50.1%）の高齢者は、このような期間中も意識的に運動を実施しており、フレイル化・要介護化を防ぐ努力を継続していた。実施していた運動内容はウォーキングと自宅内運動がほとんどであり、一人もしくは家族と一緒に実施するというケースが目立った（図８）。また、この間、テレビやインターネットなどで運動に関する情報が多く流れ、それらを参考に運動を実施したという高齢者も多く、情報発信の重要性がうかがえた。

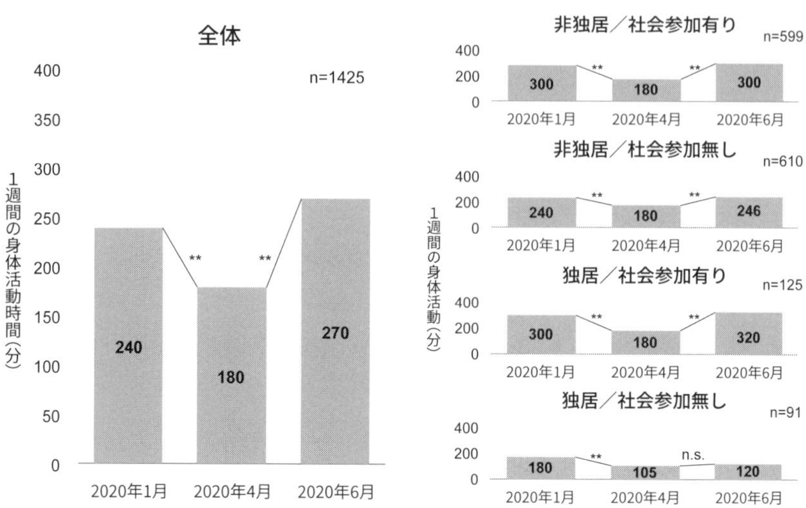

図７　緊急事態宣言解除後の身体活動の回復
出典：筆者作成

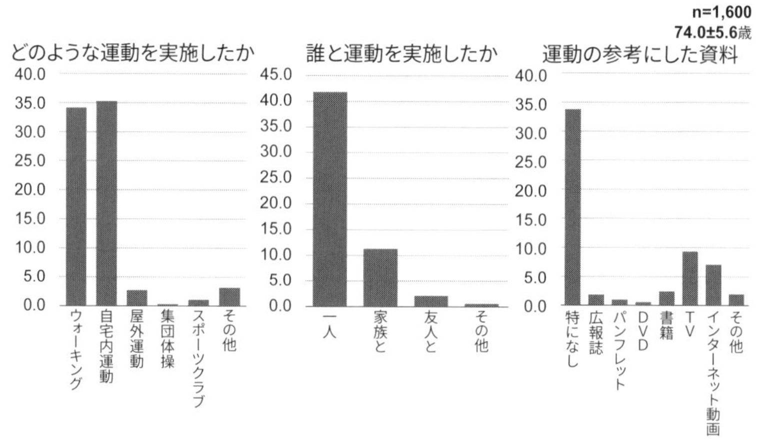

図８　緊急事態宣言下での運動実施状況
出典：筆者作成

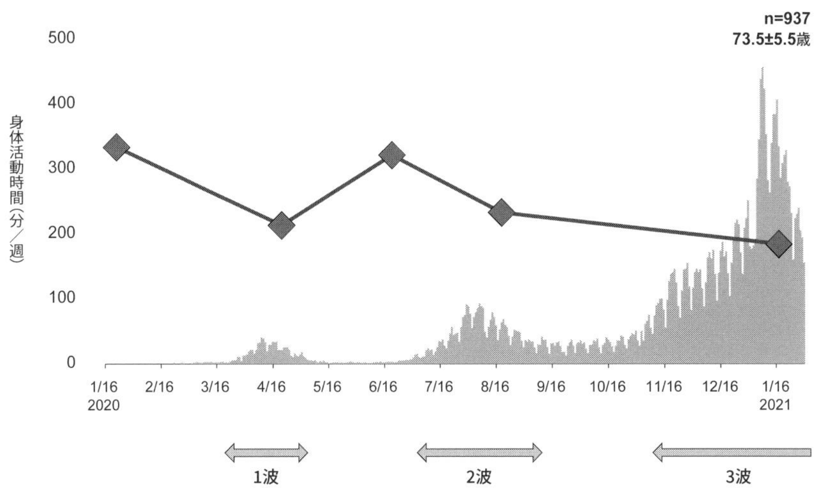

図９　コロナ禍の身体活動時間の変化
出典：筆者作成

(3) コロナ禍で持続する身体活動制限とフレイル化

緊急事態宣言によって最初の感染の波（第1波）は抑えられたものの、その後2020年8月には第2波、さらに2021年1月には第3波と、感染拡大の波は断続的に継続した。一時的に回復した高齢者の身体活動であったが、この感染の波に応じて再び抑えられるようになり、結果的に2020年の1年間は低身体活動状態が継続されることとなった（Yamada et al. 2021）（図９）。さらに、このような状態が継続したことで、新たにフレイルを発症する割合は平時よりも増加することとなった（Yamada and Arai 2021）（図10）。このような影響は、独居で近隣住民との交流が粗な高齢者で顕著に現れており、社会的脆弱性は大きな難局を迎えた際の制限因子になることが示唆された（Yamada et al. 2021）（図11）。

ただし、2021年4月時点では、要介護認定の大幅な増加には至っていない。コロナ禍で身体活動や社会活動が制限されたことで、要介護化が進んでいると考えられていたが、実際には明らかな影響はまだ確認できていない。厚生労働省が報告している要介護認定者情報より、その割合の変化を算出し

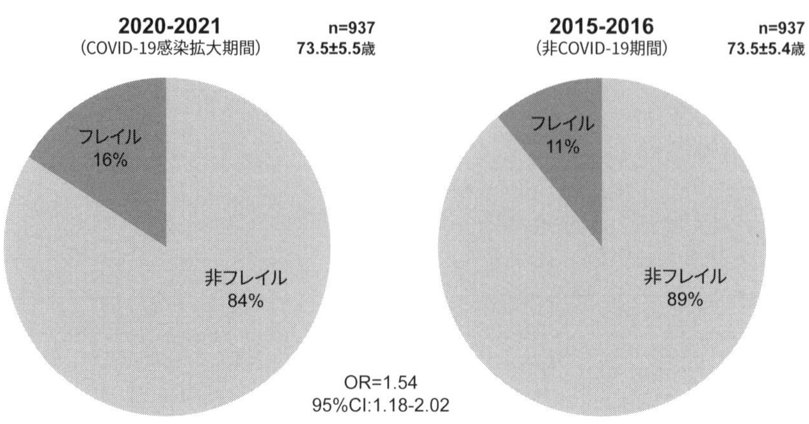

図 10　コロナ禍におけるフレイルの新規発生割合
出典：筆者作成

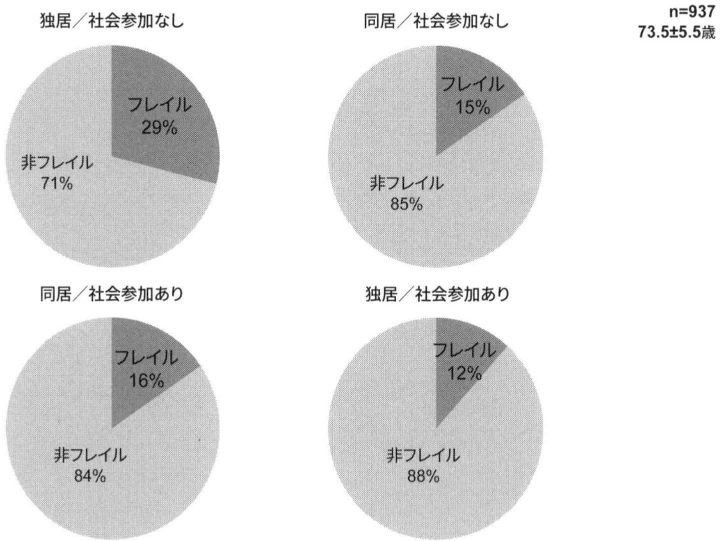

図 11　独居かつ社会参加（近隣住民との交流）がフレイルの新規発生に及ぼす影響
出典：筆者作成

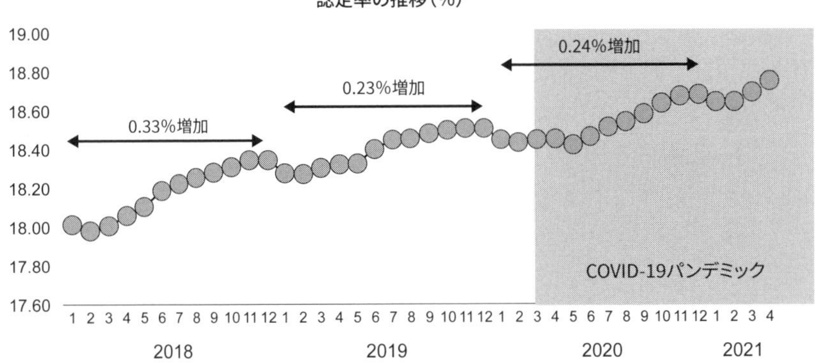

図 12　要介護認定率の推移
出典：厚生労働省資料を参考に筆者作成

たところ、コロナ禍の 1 年で 0.24% 増加しているものの、その前年も 0.23% 増、さらにその前年も 0.33% 増と、わが国の要介護認定率は経年的に高まっている（10 年間で 1.8% 増加）（厚生労働省 HP）（図 12）。要介護認定率は認定者数を高齢者人口で除した値であることから、高齢化率には直接影響を受けず、後期高齢者割合の増加に起因しているものと推測される。しかし、今後はこの後期高齢者割合の増加を超越するような認定率増加につながる可能性があり、これまで以上のフレイル対策・介護予防の推進が求められている。

⑷ コロナ禍でのフレイル対策・介護予防――web 版集いのひろば

コロナ禍でもフレイル対策・介護予防を推進する方法として、インターネットを活用した対策を提案する。この方法は、複数名の高齢者が一堂に会することも、指導者が直接高齢者に接触することもない方法であり、コロナ禍のみならず大規模自然災害発生時、さらにはポスト・コロナと呼ばれるようになった際にも活用可能な方法である。インターネットを活用した方法については、対象が高齢者ということで難易度が高いと感じる方も多いと思うが、2020 年 1 月に実施した調査では、携帯電話を利用している高齢者は 86.9%、メールの送受信が可能な高齢者は 61.2% と高く、75 歳以上の後期高齢者に限定しても前者で 77.6%、後者で 40.2% と、方法を簡略化すれば

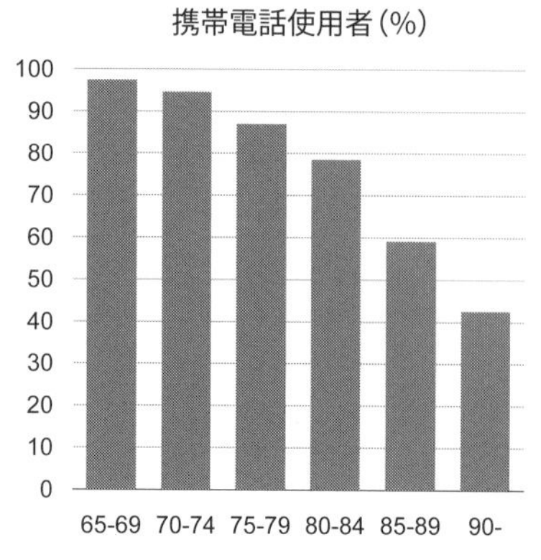

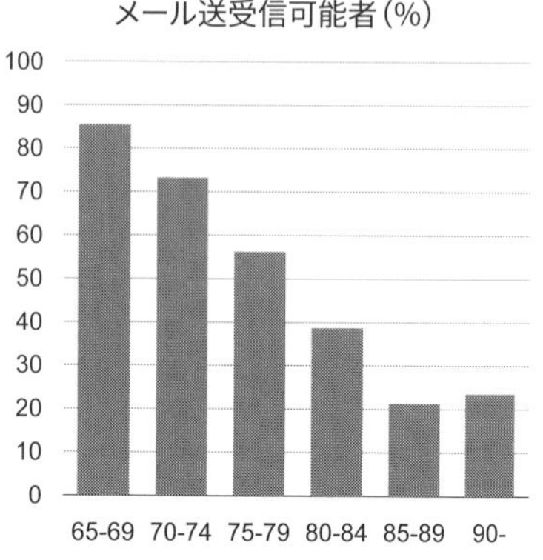

図 13　年齢階級別の携帯電話の使用者とメール送受信可能者の割合
出典：筆者作成

十分に活用可能な手段であると考えられた（図 13）。

筆者らが実際に実施しているインターネットを用いた方法（web 版集いのひろば）は、週に 1 回の頻度でメールマガジンを配信するという内容である。メールマガジンに含める内容としては、①簡単な挨拶文、②インターネット動画のリンク、③アンケートフォームのリンク、④前回の動画内容の質問への回答、⑤近況報告のレポートである。参加者は、メールを受信すると、②のフレイル対策に関連する 5〜10 分程度のインターネット動画を視聴し、その後③のアンケートへの記入を行う。アンケートフォームには、毎回の動画に対する質問と、日々の近況・活動報告を入力できるようになっており、そこから抜粋したものを次回のメール配信時に紹介する（④、⑤）という流れになっている（図 14）。

このインターネットを用いた方法で重要なのは、情報を定期的に送付し続ける点、質問・回答を共有する点、それに個々の活動を紹介する点である。現在、運動をはじめとする様々なフレイル対策・介護予防関連情報がインターネット上で紹介されているが、情報リテラシーが高くない場合にはそこまでたどり着くことができず、結果として良質な情報を手にすることができ

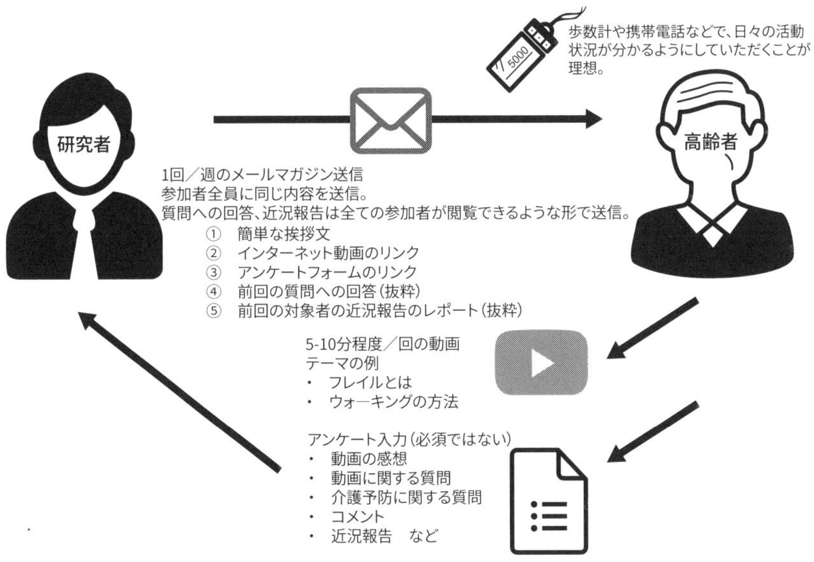

図14　web版集いのひろば
出典：筆者作成

ないことが多い。その点、定期的に限定した情報を送り届けることで、その情報へとアクセスしやすくなる。また、質問への回答や活動を紹介することで、同じ疑問を持っている方や同じ境遇の方の存在を知り、仲間意識が芽生えることで社会的促進、強いてはフレイル対策へとつながることを確認している。

このインターネットを用いた方法は社会実走へつなげるための取り組みであり、“web版集いのひろば”という名称を付け、2021年5月より実走している。筆者らの研究室（筑波大学介護予防研究室）のホームページ（https://www.yamada-lab.tokyo/）より参加登録が可能で、登録者には前述のようなメールマガジンを週に1回の頻度で配信している。是非、多くの高齢の方々に紹介していただきたい。

おわりに

ここでは、COVID-19感染拡大が高齢者の身体活動に及ぼした影響およびその対策方法案を中心に紹介した。わが国のような長寿先進国において、高齢者の健康増進・介護予防により社会保障費を抑制していくことは大きな課題であり、また追従する他の国々にその対応策を示すことは重要な使命である。「通いの場」のように永続的に実施できるような介護予防活動はその対策方法の一つであるが、様々な知を集結させることでより良い方法・対策を見出せる可能性がある。研究分野・学問領域という狭い区分ではなく、この超高齢社会を共に過ごす「一人」として高齢者の健康増進に資するアイディアを検討していただきたい。

最後に、我々は、COVID-19の感染拡大により大切なものを多く奪われることとなったが、同時に学ぶこと・学べたことも多くあった。この時代の経験をこの先の健康長寿の実現に活かしていくことが、老年学に携わる研究者としての責務である。

◘文 献

北徹監／横出正之・荒井秀典編 2012『健康長寿学大辞典――QOLからEBMまで』西村書店

厚生労働省 各年「介護保険事業状況報告」(https://www.mhlw.go.jp/topics/0103/tp0329-1.html, 2021年8月31日最終閲覧)

厚生労働省老健局 2018「公的介護保険制度の現状と今後の役割」(https://www.mhlw.go.jp/content/0000213177.pdf, 2021年8月31日最終閲覧)

Fhon, J. R., Rodrigues, R. A. et al., 2016, "Fall and Its Association with the Frailty Syndrome in the Elderly: Systematic Review with Meta-Analysis," *Rev Esc Enferm USP* 50(6): 1005-1013.

Fried, L. P., Tangen, C. M. et al., 2001, Cardiovascular Health Study Collaborative Research Group, 2001, "Frailty in Older Adults: Evidence for a Phenotype," *J Gerontol A Biol Sci Med Sci* 56(3): M146-156.

Ito, K., Tomata, Y. et al., 2016, "Housing Type After the Great East Japan Earthquake and Loss of Motor Function in Elderly Victims: A Prospective Observational Study," *BMJ Open* 6(11): e012760.

Kojima, G., 2018, "Quick and Simple FRAIL Scale Predicts Incident Activities of Daily Living (ADL) and Instrumental ADL (IADL) Disabilities: A Systematic Review and Meta-Analysis," *J Am Med Dir Assoc* 19(12): 1063-1068.

Satake, S., Shimada, H. et al., 2017, "Prevalence of Frailty among Community-Dwellers and Outpatients in Japan as Defined by the Japanese Version of the Cardiovascular Health Study Criteria," *Geriatr Gerontol Int* 17(12): 2629-2634.

Tomata, Y., Suzuki, Y. et al., 2015, "Long-Term Impact of the 2011 Great East Japan Earthquake and Tsunami on Functional Disability among Older People: A 3-year Longitudinal Comparison of Disability Prevalence among Japanese Municipalities," *Soc Sci Med* 147: 296-299.

Yamada, M. and Arai, H., 2015, "Predictive Value of Frailty Scores for Healthy Life Expectancy in Community-Dwelling Older Japanese Adults," *J Am Med Dir Assoc* 16(11): 1002.e7-11.

———., 2017, "Self-Management Group Exercise Extends Healthy Life Expectancy in Frail Community-Dwelling Older Adults," *Int J Environ Res Public Health* 14(5): 531.

———., 2018, "Social Frailty Predicts Incident Disability and Mortality among Community-Dwelling Japanese Older Adults," *J Am Med Dir Assoc* 19(12): 1099-1103.

———., 2021, "Does the COVID-19 Pandemic Robustly Influence the Incidence of Frailty?" *Geriatr Gerontol Int* 21(8): 754-755.

Yamada, M., Kimura, Y. et al., 2020a, "Effect of the COVID-19 Epidemic on Physical Activity in Community-Dwelling Older Adults in Japan: A Cross-Sectional Online Survey," *J Nutr Health Aging* 24(9): 948-950.

———., 2020b, "Letter to the Editor: Recovery of Physical Activity among Older Japanese Adults since the First Wave of the COVID-19 Pandemic," *J Nutr Health Aging* 24(9): 1036-1037.

———., 2021, "The Influence of the COVID-19 Pandemic on Physical Activity and New Incidence of Frailty among Initially Non-Frail Older Adults in Japan: A Follow-Up Online Survey," *J Nutr Health Aging* 25(6): 751-756.

5 障害者の虐待・孤立の実態把握と対策
――障害のある人たちは新型コロナによって影響を受けたか

大村美保

はじめに

この章では、社会内の脆弱なグループの一つである障害のある人たちに対する新型コロナの社会的インパクトについて、虐待の発生状況と孤立による危機的状況に着目して論ずる。研究デザインを示した後に、家庭内での子ども虐待、家庭内での障害者虐待、孤立による危機的状況についてそれぞれの調査結果を提示して考察を行い、最後に新興感染症流行下での虐待および社会的孤立の防止について述べる。

1. 研究デザイン

(1) 研究の背景と目的

新型コロナはウイルス感染した人体に直接的な影響をもたらす。それだけでなく、新型コロナの流行に伴って人々に要請される物理的距離の確保や移動・接触の制限といった措置によって、社会内の脆弱なグループの生命や生活は大きな影響を受ける（UN 2020a）。こうした脆弱なグループには生活困窮者、高齢者、先住民族、女性、子ども、障害者などがある（UN 2020a）。

障害のある人たち、すなわち障害のある子どもと大人は、平時であっても健康、教育、雇用、社会参加へのアクセスが完全ではなく、暴力、放棄・放置、虐待を受けやすく（Jones et al. 2012）、社会的孤立や周縁化を経験しやすい（UN 2020a）。障害のある人たちの多くは、基本的人権としての精神的自由、解放、固有の尊厳を保つため、入浴・食事・排泄・移動・コミュニケーションや社会への参加といった人間の基本的な活動を維持するため、家族構成員による助けや社会サービスを利用する。こうした障害のある人たちに新型コロナは直接的・間接的なインパクトをもたらす（UN 2020b）。直接的なインパクトとしては集合的な環境でのケアによる感染リスクの高さ、感染した場合の重度化リスクの高さ、医療アクセスの困難さなどが、間接的なインパクトとしては社会経済的な影響としての失業リスクの高さ、教育へのアクセシビリティの阻害などが指摘される（UN 2000b）。さらに、スタッフや利用者の新型コロナ感染により福祉サービスの事業が中断されると社会的孤立が発生しやすく、女性障害者のDV被害が顕著である（UN WOMEN 2020）など家庭内での虐待を受けるリスクが高まるとの指摘がある（UN 2000b）。

本章では、障害のある人たちの家庭内での虐待と社会的孤立に着目した調査研究を行い、新型コロナによるインパクトがどの程度あったのかの測定を試みる。併せて、地域におけるグッドプラクティスの把握を行う。これらを通して、社会的に脆弱なグループへの新興感染症流行下での保護に関する知見を見出すことが本章の目的である。

(2) 研究方法

筑波大学・新型コロナウイルス緊急対策のための大学「知」活用支援プログラムによる助成を受けて、以下の調査を実施した。

(1) 全国の児童相談所（都道府県・政令指定都市レベル）と要保護児童対策地域協議会（基礎自治体レベル、人口10万人以上）に対して行った保護者による児童虐待に関する調査
(2) 特別支援学校に対して行った保護者による児童虐待に関する調査
(3) 障害保健福祉担当部局（基礎自治体レベル、人口10万人以上）に対して行った養護者による障害者虐待および社会的孤立への対応に関する調査

いずれも郵送による質問紙調査であり、筑波大学人間系研究倫理委員会による承認を受けて実施した。調査研究の実施にあたり、研究は自由意思によ

表 1　質問紙の回収数／配布数、回収率

全国の児童相談所	47 カ所／ 215 カ所	回収率 22%
要保護児童対策地域協議会	85 カ所／ 280 カ所	回収率 30%
特別支援学校	55 校／ 157 校	回収率 35%
障害保健福祉担当部局	103 カ所／ 280 カ所	回収率 37%

出典：筆者作成

るものであり、回答の拒否・中止・撤回に不利益が生じないことやデータの保存方法や公開範囲について依頼文書で説明し、調査への回答をもって同意を得たものとした。

調査期間は 2020 年 8 月 24 日から 9 月 23 日の 1 カ月間であった。送付数および回収数は表 1 のとおりである。

2. 家庭内での子ども虐待

(1) 家庭内での子どもへの虐待の相談対応件数

本研究で把握された児童相談所と要保護児童対策地域協議会による 2020 年 6 月と前年同月のそれぞれ 1 カ月間における児童虐待相談対応件数は、障害児を除く児童（以下、一般児）では 2020 年 6 月で 6067 件であり、前年同月の 1.09 倍であった。一方、障害児では 351 件であり、前年同月と同水準であった（図 1）。

新型コロナの影響により障害がある人たちについて家庭内での虐待リスクが高まるという先行研究での通説を覆し、一般児に対する家庭内での虐待は増えた一方で、障害児に対する虐待は変化がないという興味深い結果が得られた。

(2) 家庭内での子どもへの虐待は新型コロナで増えたのか

実際のところ、家庭内での子どもへの虐待は新型コロナの影響によって増えたのだろうか。国が 2021 年 8 月に公表した 2020 年度の児童相談所での児童虐待相談対応件数（速報値）によれば、全国の児童相談所での虐待相談

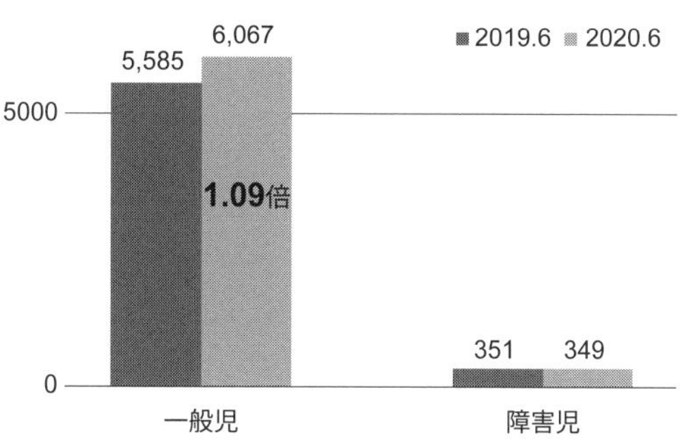

図1　一般児と障害児の児童虐待相談対応件数の同月比較
出典：筆者作成

対応件数は20万5029件で、対前年度比5.8%の増加と報告された（厚生労働省2021）。しかし、この傾向は2020年度に限ったことではない。児童虐待への社会の関心の高まりにより、1990年代以降、児童相談所における児童虐待相談対応件数は右肩上がりの上昇を続けている（野田・藤間2020）。増加率を見てみると2018年度は対前年度比19.5%増、2019年度は同21.2%増と報告され（厚生労働省2021）、2020年度の増加率はむしろ大幅な減少であった。つまり、新型コロナが流行する2020年度1年間でみると家庭内の子どもへの虐待が顕著に増えたという形跡は確認できない。

一方で、本研究で調査を行った単月で比較すると、本研究では2020年6月の対前年同月比は7%増、国の公表するデータでは同17%増であり（厚生労働省2021）、本研究で把握された増加率の方が低いものの、いずれも増加傾向を示した。また、国の公表するデータでは6月に次いで4月と9月がともに13%増であった。日本では2020年3月1日から5月末日まで、全国の公立学校は一斉休校の措置をとったため、児童・生徒が原則として自宅に留まった。調査で把握した6月は一斉休校期間が明けて学校での教育活動が再開された時期である。管見の限り児童虐待対応件数は2020年以前の月次報告が存在しないため過年度との比較が行えないものの、一斉休校と虐待相談通報件数との関連が考えられる。

一斉休校期間中、家庭内では子どもに対する虐待を含んだ不適切な対応として何が起きていたのか。本研究の児童相談所および要保護児童対策地域協議会による自由記述から、新型コロナ下での家庭内での子どもの虐待の発生や発見に関する部分を紹介する。

新型コロナと児童虐待の発生との関連としては、発生要因として「テレワークや失業、経済的な不安など親の社会環境の変化」「子どもの在宅時間の増加」「スマホ・ゲーム依存による親子間トラブル」が、阻害要因として「新型コロナにより命の危険に晒されたため、緊張感が高まり親子仲がむしろ改善した」例や、「外部との接触が減ったことで保護者のストレスが低減され、むしろ落ち着いた」の例が報告された。

新型コロナと児童虐待の発見との関連としては、「学校や保育所等の日常的な見守り機能の低減」「休校中における学校からの相談・通告の減少」「鳴き声通告・怒鳴り声通告、テレワークにより子どもが公園等の外へ出されているなどの地域からの通告」が挙げられた。国調査では、虐待相談の経路別で「学校」が7.2%から6.7%と0.5ポイント減じているのに対し、「警察等」は49.8%から50.5%と0.7ポイント増加、「近隣・知人」が13.0%から13.5%と0.5ポイント増加しており（厚生労働省 2021）、本研究の結果と一致する。本研究の特別支援学校の自由記述においても、登校した際に児童の外傷に気づき通告した事例があったとの回答が見られた。つまり、児童虐待を早期に発見できる立場にある学校にとって、一斉休校期間は児童虐待を発見する機会が減少したが、学校での教育活動の再開に伴って虐待や不適切養育が発見され、6月単月で増加傾向を示したと推察される。

以上から、子どもの虐待相談通報件数への新型コロナの影響が指摘できる。新型コロナ下にあった1年間の虐待相談対応件数はそれまでと比べて増加率が顕著に低減し、全体として新型コロナが直接的に子どもへの虐待を増加させたという傾向は見られなかった。新型コロナは家庭内で子どもへの虐待の発生について増加と低減の双方に影響を及ぼすと考えられ、増加要因としては「テレワークや失業、経済的な不安など親の社会環境の変化」が、低減要因としては新型コロナにより人々が生命の危険を感じさせ、その恐怖により家族の凝集性が高まって虐待が起きづらくなる、といった心理面への新型コロナの影響が推察される。一斉休校中では「子どもの在宅時間の増加」「スマホ・ゲーム依存による親子間トラブル」が家庭内での子どもへの虐待の要因となっていたが、学校が家庭内での児童への不適切対応を把握することが難しく、警察や近隣・知人により発見される割合が相対的に高まったと考えられる。

(3) 障害児虐待は新型コロナでなぜ増えなかったのか

本研究では、一般児の家庭内での虐待は一斉休校期間で増加傾向を示したが、障害児虐待は変化が見られなかった。なぜ一般児と障害児とで違いが生じたのか。

新型コロナ下での家庭内での子どもへの虐待の発生や発見に関して、本研究で得られた特別支援学校の記述では「多くの児童・生徒が放課後等デイサービスを利用しているため、休校中も児童生徒が家庭にいる時間が極端に増えることがなかった」という内容の回答を多く得た。放課後等デイサービスとは、児童福祉法に基づき、学校に就学している障害児に、授業の終了後または休業日に生活能力の向上のために必要な訓練、社会との交流の促進その他の便宜を供与する事業所であり（障害児通所支援に関するガイドライン策定検討会 2015)、全国1万4809カ所の事業所で約23万人が利用している（厚生労働省 2020a)。障害児の社会的側面に着目すると、放課後等デイサービスだけでなく、同様に福祉サービスである児童発達支援や放課後等デイサービスや、医療機関、特別支援学校・特別支援学級など、虐待を受ける一般児童と比べるとすでに支援機関との関わりが形成されている傾向がある（大村 2021)。

国は一斉休業期間に先立ち、放課後等デイサービス事業所等の対応について各都道府県に対して事務連絡を発出し、「保護者が仕事を休めない場合に自宅等で一人で過ごすことができない幼児児童生徒がいることも考えられることから、感染の予防に留意した上で、原則として開所していただくようお願いするとともに、開所時間については可能な限り長時間とするなどの対応をお願いする」（厚生労働省 2020b）とした。障害福祉サービスは、障害者その家族等の生活に欠かせないもので、利用者に対して必要なサービスが安定的・継続的に提供されることが重要であり（厚生労働省 2020c)、国は事業所に対して業務継続計画（Business Continuity Plan: BCP）を作成して新型コロナウイルス等感染症や大地震などの災害が発生した場合に備え、業務を中断させないように準備するとともに、中断した場合でも優先業務を実施するため、あらかじめ方策を検討してまとめるよう求めている。

以上から、障害児については一般児とは異なって支援機関と接続済みであ

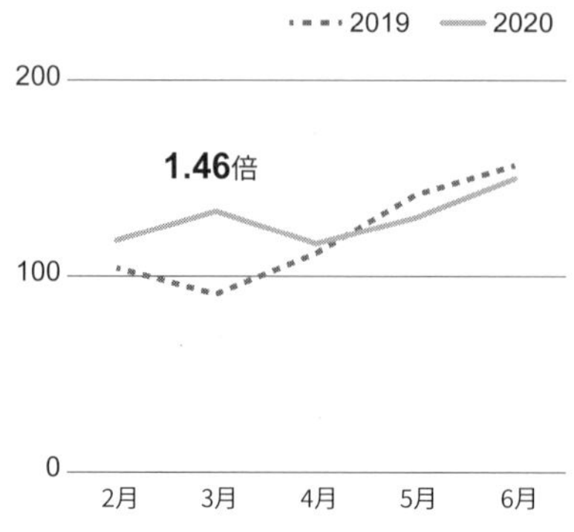

図２　養護者による障害者虐待相談通報件数 2019 年と 2020 年の月別比較
出典：筆者作成

ることが多く、新型コロナ下では国の指針と事業所の努力によって放課後等デイサービス等の障害福祉サービスの利用が維持でき、さらに修学時間帯の居場所機能についても放課後等デイサービスが学校を代替したため、障害児については一般児に見られたような新型コロナによる一斉休校期間における虐待発生への影響が確認されなかったと考えられる。

3. 家庭内での障害者虐待

⑴ 家庭内での障害者虐待の相談通報件数

18 歳以上の障害者について、新型コロナによる家庭内での虐待への影響を確認するため、本研究では基礎自治体の障害福祉担当課が対応した 2020 年２～６月の５カ月間の各月と前年同時期における養護者による障害者虐待の相談通報件数を把握した。その結果、2020 年３月のみ前年同月比 1.46 倍であったが、その他の月は前年同月比でほぼ同水準であった（図２）。国による 2020 年度の障害者虐待事例への対応状況は未公表のため、全国的な傾向との比較は行えないが、本研究では新型コロナによる家庭内での障害者虐待への影響は確認されなかった。

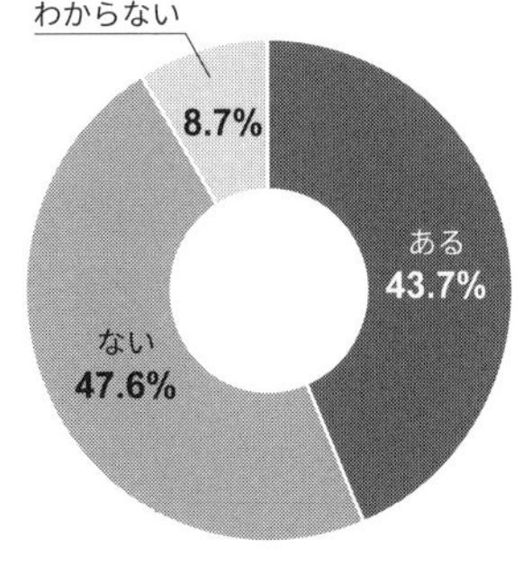

障害者に必要なサービス量が確保できない

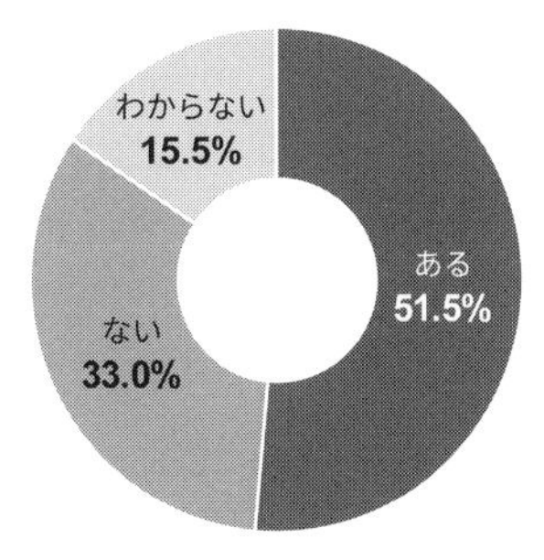

人員・設備・運営上の理由での事業所のサービス提供体制の影響

図３　障害福祉サービスの提供への新型コロナの影響
出典：筆者作成

(2) 家庭内での障害者虐待は新型コロナの影響を受けなかったのか

実際に、家庭内での障害者虐待は新型コロナの影響を受けなかったのだろうか。新型コロナ下での家庭内での障害者虐待の発生や発見に関して、本研究で得られた障害福祉担当課の記述では、「通所系福祉サービスの規模縮小もしくは一時閉鎖や、短期入所の受入れ停止に伴って養護者の負担が増加」したという記述も一部見られたが、「コロナ禍においても関係する障害福祉サービス事業所が適切な対応を取っている」という記述が多く得られた。

また、本研究において、障害福祉サービスの提供への新型コロナの影響に関する障害福祉担当課の意識を図３に示す。人員・設備・運営上の理由で事業所のサービス提供体制に影響があったと回答した自治体は過半数であったが、実際に障害者に必要なサービス量が確保できないことがあったと回答した自治体は約７ポイント低く、サービス量が確保できた自治体数が確保できなかった自治体数を上回った。

国は「社会福祉施設等が提供する各種サービスは、利用者の方々やその家族の生活を継続する上で欠かせないものであり、十分な感染防止対策を前提として、利用者に対して必要な各種サービスが継続的に提供されることが重要である」（厚生労働省 2020b）として事業継続の重要性について文書を発出し、加えて前述のとおり、業務を中断させないよう業務継続計画の作成を指導している。こうした国の指針と事業所の努力により、新型コロナ下で障害福祉サービスの提供に関する影響はあったが限定的であり、障害福祉サービス利用が維持されたと考えられる。

なお、2020年3月の一時的な虐待通報件数の増加については、その理由として、障害福祉サービスに接続済みの障害者やその家族の、新型コロナへの感染不安による心理・行動面での変化により、家庭内での不適切対応を引き起こした可能性などが考えられるが、本研究では増加の原因を推測できるデータを得ておらず、更なる調査研究を通した検討が必要である。

4. 孤立による危機的状況の把握

(1) 訪問や見守りの実施状況

国は新型コロナに関連し、市町村における在宅の一人暮らしをはじめとする見守り等の必要な障害者等に対する取組の実施方法、都道府県に対し在宅一人暮らしの障害者等への訪問や電話相談等による見守りを指導している（厚生労働省 2020c）。

新型コロナによる障害者の孤立や危機的状況が自治体によりどのように把握・対応されたかを確認するため、本研究では基礎自治体の障害福祉担当課に対して、障害者への訪問や見守りの対応状況を尋ねた。その結果、回答のあった103自治体のうち、訪問や見守りについて何らかの対応をとったのは37%と限定的であった。訪問や見守りについて対応をとった37%の自治体では、32%が「委託して実施」したと回答し、「自ら実施」したのは5%で、市町村が自ら訪問や見守りを行った例は非常に稀であった（図4）。

(2) 訪問や見守りの具体的方法

訪問や見守りを実施した約4割の自治体から、訪問や見守りの具体的方法について自由記述で回答を得た。記述内容は、①平常時の見守り体制の活用、②ケアマネジメントの活用、③新型コロナ下での特別な対応、の3点に整理された。

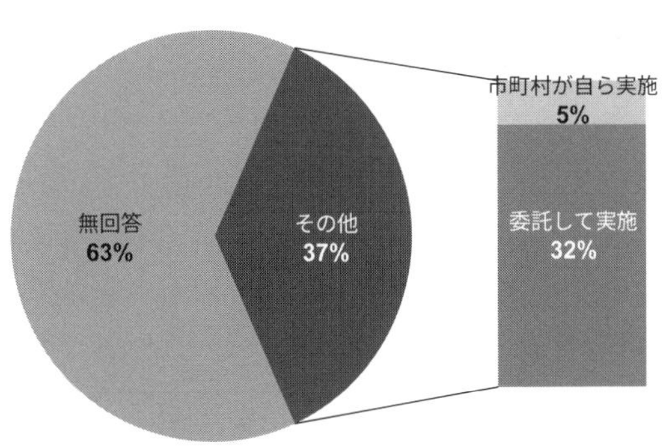

図４　市町村による障害者への訪問や見守り
出典：筆者作成

①平常時の見守り体制の活用

訪問や見守りの具体的方法として、平常時からの民生委員、相談支援事業所等の関係機関との連携が挙げられ、関係者会議、自立支援協議会、地域生活支援拠点の活用例も見られた。自立支援協議会とは、地域のサービス基盤の整備を着実に進めるために地域の関係者が集まり個別の相談支援の事例を通じて明らかになった地域の課題を共有する、障害者総合支援法で設置が義務づけられる会議体である。また、地域生活支援拠点とは、障害者の重度化・高齢化や「親亡き後」を見据えた居住支援のための機能を持つ場所や体制であり、国は障害福祉計画の基本指針に位置づけ、第６期障害福祉計画（2021～2024年度）までに、市町村または障害保健福祉圏域において少なくとも１つ整備することを基本に整備が進められている。これらはいずれも基礎自治体に備えるべき機能であり、これら会議体や体制に関連づけて平常時からの見守りを行う例が本研究で把握された。また、災害等有事の際に虐待リスクが高まることを市町村の虐待防止センターが障害福祉サービス事業所に対して平常時から警告していたという自治体も把握された。以下に自治体から回答のあった記述を示す。

- 地域生活支援拠点の機能の一環として、直近５年程度以内に現在の生活が維持出来なくなると予想される高齢の養護者と同居している知的障害者に対してアウトリーチを実施し、生活状況を把握している
- 平常時より、虐待防止センターが実施する出前研修において、災害等有事の際にリスクが高まることやその対応について教示している
- 地域の民生委員や相談支援事業所、その他各種関係機関と連携し、少し

でも気になる対象者がいる場合は自治体への送致を依頼している
- サービスに結び付いていないケースや困難ケース等は地域生活支援拠点と連携する
- 自立支援協議会や関係者会議等を通して支援者間で気になるケースの情報を共有する
- 孤立化防止の取組みとして、主に療育手帳を所持し、かつ福祉サービスにつながっていない方を対象に「アンケート送付」や「訪問」を実施している。約9割の療育手帳所持者と接触できた

②ケアマネジメントの活用

訪問や見守りにおけるケアマネジメントの活用が具体例として挙げられた。ケアマネジメントとは、障害者の地域における生活支援のため、福祉・保健・医療・教育・就労などの幅広いニーズと様々な地域の社会資源の間に立ち、複数のサービスを適切に結びつけて調整を図る援助方法である（厚生労働省 2002）。障害福祉分野ではケアマネジメントを指定特定相談支援事業所が担い、定められたケアマネジメントプロセスにより決められた周期で対象者の状況把握と必要な支援を行うことで障害福祉サービス報酬を受け取る仕組みとなっている。障害福祉サービス利用者には原則として全員にケアマネジメントが行われるため、新型コロナ下での対象者の状況把握と必要な支援の調整は法定化されたケアマネジメントによって実施されているとの回答が得られた。以下に自治体から回答のあった記述を示す。

- 新型コロナに関係なく、障害者等から相談があれば適宜直営・委託の相談員が訪問や電話相談等の対応をしている。障害福祉サービスを利用している方については、特定相談支援事業所がモニタリングを行い、状況把握や必要な支援について相談対応を実施。通所施設が在宅支援に切りかえた時期は、電話による相談等を実施して利用者や家族の状況把握を行った
- 施設職員が新型コロナウイルス感染症の陽性者となり、在宅サービスの提供が困難となった事例に対し、相談支援事業所が適切な支援を行うこ

とができた。安否確認により障害児者とその家族の安心を確保できた

- 重度訪問介護利用者に対して相談支援事業所が生活状況の確認を行った。生活状況に大きな変化は見られなかった
- 大きなトラブルなく推移している。相談支援事業所ほか、各サービス事業所の尽力によるものと感じている
- コロナ対策に特化した見守り等は実施していない。通常時からサービス事業者や訪問看護、市担当部署と連携して見守り体制をとっている

③新型コロナ下での特別な対応

新型コロナ下で訪問や見守りを新たに行った自治体の回答としては、養護者に対して消毒薬の配布を通じた状況把握を行った例や、訪問によるアウトリーチの例があった。訪問ケースの選定に際しては、自治体担当者の判断によるもののほか、自治体が把握する障害福祉サービス利用状況のデータを活用して訪問対象者を抽出した自治体も見られた。以下に自治体から回答のあった記述を示す。

- 一部の養護者に対し、手指消毒薬配布を通して状況把握を行った。養護者より「こうして気にかけてもらえて、忘れられていないことがわかって嬉しい」との言葉がきかれた。孤立防止につながる取組であった
- 自治体のケース担当者の判断で訪問や架電を行った。新型コロナによる心理的ストレスを軽減するという面で一定の効果があった
- 新型コロナ感染拡大防止のため在宅での生活を強いられている可能性のある者として、2020年4月以降のサービス利用がない、または極端に少ない者を抽出し、関係機関へつなぎ、生活支援等の助言、状態悪化の防止等の支援を実施した。

5. 新興感染症流行下での障害のある人たちへの虐待および社会的孤立の防止のために

社会の中で弱者とされる人々は、新型コロナウイルス感染症の影響をより深刻に受けると指摘され、移動制限などで支援サービスの提供が滞れば、生命の危機が発生したり日常生活の維持が困難になったりしかねない。障害のある人たちはこうした社会的弱者のグループの一つであるため、本研究では、新型コロナ下の実態について、虐待の発生や社会での孤立に焦点を当てて調査を行った。

結果は、通説とは異なり、障害児、障害者とも、家庭内での虐待は新型コロナ下で増加傾向は確認できなかった。その理由として、特に脆弱な障害のある人たちは新型コロナ以前から社会資源と接続しており、国の指針と事業所の努力により、放課後等デイサービスを含む通所系・居宅系の障害福祉サービスの利用が維持された点、さらに通所事業所による見守りや相談支援事業所によるケアマネジメントの一環としての動向把握が機能していた点が挙げられる。平常時からの見守りや新型コロナでの新たな見守りは限定的であり、孤立による生命の危機は報告されていないものの、在宅で一人暮らし等の見守りが必要な障害者に対しては必ずしも十分な見守りが実施されていない可能性が浮かび上がった。

障害福祉サービス利用者については原則としてすべての利用者が指定特定相談支援事業所によりケアマネジメントが行われるため、決められた周期で対象者の状況把握と必要な支援が行われる。障害のある人たちは、家族、専門職とのつながりでもってかろうじて社会的孤立をその一歩手前で踏みとどまっているという意味では「薄氷状態」にあり（松岡 2019: 48）、こうした制度による見守り機能は新型感染症流行下において障害のある人たちにとってはまさに命綱ともいえる存在である。したがって、障害福祉サービスが障害者世帯にとって孤立を防ぐ最後の砦としての意味を持つことを、サービス提供者やケアマネジメント従事者が十分に認識する必要がある。

一方、障害者総合支援法の福祉サービス利用状況をみると、障害者手帳所持者のうち、障害者総合支援法の福祉サービスを利用している者の割合は、65歳未満では32.1%、65歳以上では19.8%であり（厚生労働省2016）、在宅で一人暮らし等の障害者が必ずしも障害福祉サービスを利用しているとは限らない。一人暮らしに限らず、高齢の親と同居する知的障害者の孤立死リスクの高さ（全日本手をつなぐ育成会2013）も指摘される。今後は、関係者会議、自立支援協議会、地域生活支援拠点を活用した平時からの備えを行うとともに、体制が整備されるまでの間、新型コロナ下で新たな見守りを実施した自治体を参考に、孤立リスクの高い障害者を対象として各自治体が見守りや訪問の取り組みを図る必要がある。

おわりに

おわりに、本研究で意図せずして把握された課題について2点述べる。

1点目は、新型コロナ下における家庭内での一般児への虐待に関する課題である。本研究では、支援機関に接続済みである障害児は一般児に比べて新型コロナ下で虐待が増加しなかったのに対し、家庭内での子どもへの虐待は一斉休校期間において増加傾向が示された。子どもの健全育成は学校に大きく依存することから、福祉事業所と同様、学校での教育活動の継続は子どもへの虐待の防止のため最も重要な要素である。文部科学省は2021年1月に部活動および寮や寄宿舎の感染症対策の徹底とともに小学校、中学校および高等学校等における教育活動の継続について通知を発出した（文部科学省2021）ため、全国一斉に教育活動を休止するという選択が行われることは今後よほどのことがない限り考えづらい。その上で、万が一、再度の休校が必要となった場合、休校中は虐待を発見しやすい立場にある学校からの虐待通告や相談が機能しづらいという本研究での知見を活用して、学校はリスクの高い世帯について継続的に監視するとともに、登校日などの機会に児童・生徒を注意深く観察する必要がある。また、地域からの虐待相談・通告が虐待発見の重要な機会となるため、一般市民に対して虐待相談・通告に関する心理的障壁を除去するための啓発が求められる。さらに、本研究からは障害児が利用する社会サービスが家庭内での虐待を防いだと示唆されるが、一般児にとっては地域社会で利用可能な社会資源が学校以外に存在しないか、あってもほとんど機能していないと考えられる。今後、一般児の人間関係の希薄さや社会サポートの欠如の面での検討が求められる。

2点目は障害児虐待に関する相談対応件数のカウントに関する課題である。本研究に回答した児童相談所および要保護児童対策地域協議会の 89.5% は、システム上、障害児虐待の件数をカウントする仕組みがなく、手作業で抽出して回答していた。つまり、障害児は障害のない児童に比べると虐待リスクが高く、身体障害児が 4.3 倍、知的障害児が 13.3 倍と報告される（全国児童相談所長会 2009）が、児童相談所および要保護児童対策地域協議会の大半では、ケース記録は記入されるものの、障害にかかわる項目をリスク要因として系統的に把握する記入様式を持っていないことを意味する。藤間（2020: 190）は、児童相談所の「記録のフォーマットが多様であり、そのことが現場に混乱を生じさせている」と述べて統一したフォーマットの策定を提案しており、本研究で把握された内容と一致する。障害児を差別することにつながらないような十分な留意を図る必要はあるが、リスク管理の一環として障害関連項目を扱うための職員の教育・訓練や、障害関連項目のチェックが行える様式の開発が求められる。

本章を踏まえ、当面のディスカッション・クエスチョンとして以下を挙げる。

- 障害者、高齢者、児童等で福祉サービスを必要とする人たちにとって、新型コロナのような新興感染症下や災害時での福祉サービスの利用はどのような意味を持つだろうか。
- 本研究では新型コロナへの感染恐怖が家庭内の凝集性を高めて虐待が発生しづらくなるという新型コロナの虐待発生に及ぼす心理的影響を仮説として提示したが、通常、家庭内の凝集性の高さは虐待の発生に寄与すると考えられる。どのような条件下で家庭内の凝集性が虐待を低減させるだろうか。

◘文 献

大村美保 2021「障害児に対する保護者による虐待の防止及び保護者支援の連携・支援モデル構築」『豊かな高齢社会の探求 調査研究報告書』29: 1-25.

厚生労働省 2002「障害者ケアガイドライン」厚生労働省社会・援護局障害保健福祉部（https://www.mhlw.go.jp/topics/2002/03/tp0331-1.html，2022 年 2 月 4 日最終閲覧）

——. 2016「平成 28 年生活のしづらさなどに関する調査」（https://www.mhlw.go.jp/toukei/list/seikatsu_chousa_b_h28.html，2022 年 2 月 4 日最終閲覧）

——. 2020a「放課後等デイサービスに係る報酬・基準について」（障害保健福祉部障害福祉課 第 16 回「障害福祉サービス等報酬改定検討チーム（オンライン会議）」資料）

——. 2020b「社会福祉施設等における感染拡大防止のための留意点について」（令和 2 年 3 月 6 日付健康局結核感染症課ほか事務連絡）

——. 2020c「在宅の一人暮らしをはじめとする見守り等の必要な障害者等に対する市町村が行う取組の実施について」（令和 2 年 4 月 17 日付社会・援護局障害保健福祉部障害福祉課事務連絡）

——. 2021「令和 2 年度児童相談所での児童虐待相談対応件数（速報値）」（子ども家庭局虐待防止対策推進室 令和 3 年度全国児童福祉主管課長・児童相談所長会議資料）（https://www.mhlw.go.jp/content/11900000/000824239.pdf, 2022 年 2 月 4 日最終閲覧）

障害児通所支援に関するガイドライン策定検討会　2015「放課後等デイサービスガイドライン」（https://www.mhlw.go.jp/file/05-Shingikai-12201000-Shakaiengokyokushougaihokenfukushibu-Kikakuka/0000082829.pdf，2022 年 2 月 4 日最終閲覧）

全国児童相談所長会 2009「全国児童相談所における家庭支援への取り組み状況調査（報告書）」（全児相通巻第 87 号別冊）（http://www.zenjiso.org/wp-content/uploads/2015/02/acf05fb0c83d761bd6520db27c26eaa1.pdf，2022 年 2 月 4 日最終閲覧）

全日本手をつなぐ育成会 2013「平成 24 年度障害者総合福祉推進事業　知的障害者を含む世帯における地域生活のハイリスク要因に関する調査報告書」全日本手をつなぐ育成会

藤間公太 2020「今後の児童虐待対応に向けて」遠藤久夫・野田正人・藤間公太監修『児童相談所の役割と課題　ケース記録から読み解く支援・連携・協働』東京大学出版会、185-194 頁

野田正人・藤間公太 2020「児童虐待をめぐる動向と今日的課題」遠藤久夫・野田正人・藤間公太監修『児童相談所の役割と課題――ケース記録から読み解く支援・連携・協働』東京大学出版会、1-13 頁

松岡克尚 2019「障害者の社会的孤立と地域福祉的支援の方向性」『人間福祉学研究』12(1): 43-56.

文部科学省 2021「小学校、中学校及び高等学校等における新型コロナウイルス感染症対

策の徹底について（通知）」（令和 3 年 1 月 5 日付文部科学省初等中等教育局長等連名通知）

Jones, L., Bellis, M. A. et al., 2012, "Prevalence and Risk of Violence against Children with Disabilities: A Systematic Review and Meta-Analysis of Observational Studies," *Lancet* 380(9845): 899-907.

UNITED NATIONS [UN], 2020a, "GLOBAL HUMANITARIAN RESPONSE PLAN COVID-19"（https://www.unocha.org/sites/unocha/files/Global-Humanitarian-Response-Plan-COVID-19.pdf, 2022 年 2 月 4 日最終閲覧）

――., 2020b, "Policy Brief:A Disability-Inclusive Response to COVID-19"（https://www.un.org/sites/un2.un.org/files/sg_policy_brief_on_persons_with_disabilities_final.pdf, 2022 年 2 月 4 日最終閲覧）

UN Women, 2020, "Women with Disabilities in a Pandemic (COVID-19)"（https://www.unwomen.org/-/media/headquarters/attachments/sections/library/publications/2020/policy-brief-women-with-disabilities-in-a-pandemic-covid-19-en.pdf?la=en&vs=1531, 2022 年 2 月 4 日最終閲覧）

6 障害の有無にかかわらず、学びやすいユニバーサルな学習環境

佐々木銀河

はじめに

本章では、新型コロナにおいて教育現場、特に大学等の高等教育にどのような影響を及ぼしたかについて障害のある学生（以下、障害学生）の観点から紹介する。大学等の高等教育機関では障害学生の在籍が年々増えているが、新型コロナの拡大によって障害学生の在籍率や人数にも影響を及ぼし、オンライン授業が全国的に行われるようになった。マイノリティである障害学生の状況や対応はあまり知られていない。本章では障害学生を取り巻く状況について説明をした後、障害学生のオンライン授業に関する調査の結果を報告する。そして、障害の有無にかかわらず、学びやすいユニバーサルな教育環境とは何かを考える。

1. 大学等の高等教育機関における障害学生の状況

(1) 大学等における障害学生への合理的配慮と背景法

まずは、新型コロナが拡大する以前からの大学等における障害学生への対応について紹介する。最も関係する法律として、2015年度から施行された「障害を理由とする差別の解消の推進に関する法律」（以下、障害者差別解消法）がある。障害者差別解消法では、障害のある方に対する不当な差別的取扱いの禁止と、合理的配慮の提供を義務化している。大学等における合理的配慮とは、障害のある者が、他の者と平等に「教育を受ける権利」を享有・行使することを確保するために、大学等が必要かつ適当な変更・調整を行う

ことであり、障害学生に対し、その状況に応じて、大学等において教育を受ける場合に個別に必要とされるものであり、かつ、大学等に対して、体制面、財政面において、均衡を失した又は過度の負担を課さないものと定義されている（文部科学省 2017）。合理的配慮の提供について国公立大学は法的義務、私立大学等の民間事業者は努力義務とされてきたが、2021 年 5 月には私立大学等の民間事業者においても合理的配慮の提供を法的義務として定める改正障害者差別解消法が成立し、公布日となる 2021 年 6 月 4 日から起算して 3 年を超えない範囲で施行される予定である。つまり、将来的にはすべての教育機関において障害学生への合理的配慮の提供がコンプライアンス（法令遵守）として位置づけられる方向性となっている。

(2) 大学等における障害学生の在籍状況

次に、実際に障害学生は大学等にどの程度在籍しているかについて全国的な状況を紹介する。独立行政法人日本学生支援機構では 2006 年度から毎年度、障害学生の修学支援に関する実態調査を行っている。新型コロナが拡大した 2020 年度においては全学生のうち約 1.09% が障害学生であり、年々増加してきている（独立行政法人日本学生支援機構 2021a）。しかしながら、2006 年度からの調査開始以来、新型コロナが拡大した 2020 年度において初めて障害学生数が減少した。この背景にはどのようなことが考えられるだろうか。図 1 に、2015 年度から 2020 年度までの学校種別・障害種別の障害学生の在籍率・人数を示す。国立大学、公立大学、私立大学などの学校種別によって障害学生在籍率の推移が異なっていることがわかる。また、障害種別でみると、病弱・虚弱のある学生数が 2020 年度では減少しているのに対して、発達障害では 2020 年度も増加傾向にあるなど、障害種別によっても異なることがわかる。独立行政法人日本学生支援機構の障害学生支援修学支援実態調査・分析協力者会議によれば、2020 年度には多くの大学において健康診断の実施が遅れるなど、障害学生の把握が十分にできなかった可能性が指摘されている。このように、新型コロナにより、顕在化されつつあった障害学生が潜在化しつつあることは大学等の高等教育に与えた大きな影響の一つといえるだろう。

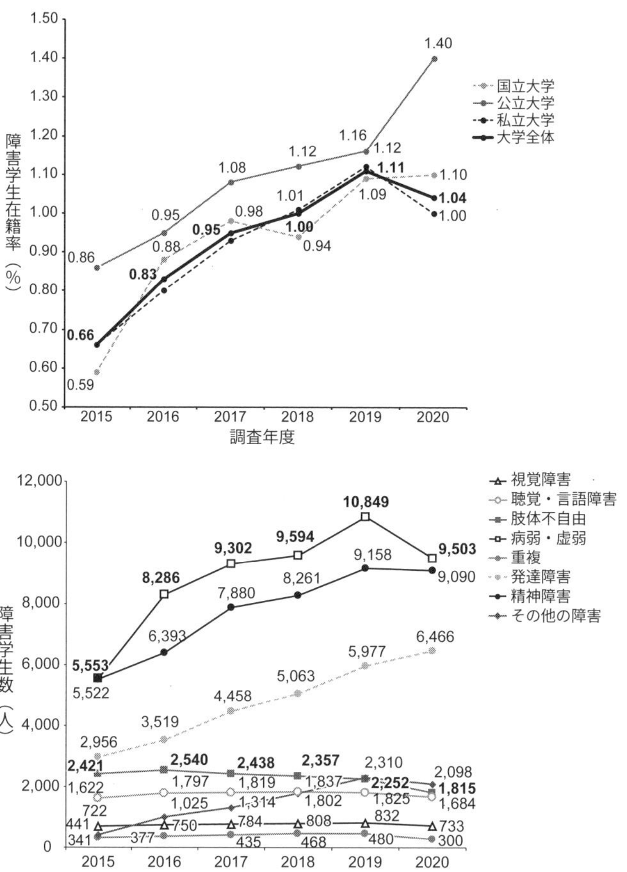

図1　学校種別（上図）・障害種別（下図）の障害学生の在籍率・人数
出典：独立行政法人日本学生支援機構（2021a）をもとに筆者作成

2. 筑波大学におけるオンライン授業のアクセシビリティ調査

(1) 筑波大学「知」活用プログラム

新型コロナの拡大に伴い、約9割の大学等では通常の授業の開始時期等を延期し、前期授業においては多様なメディアの高度な利用などを通じて、教室外の学生に対して行う授業（以下、オンライン授業）のみを実施、ある

図２　筑波大学「知」活用プログラムにおけるプロジェクト概要
出典：佐々木（2020）より引用

いは対面授業とオンライン授業が併用されてきた（文部科学省 2020）。通学課程や通信教育課程等の課程を問わず広く実施されるようになったオンライン授業に対して、身体や精神等に障害のある学生がどのように学んでいるかは示されていない。そこで、筑波大学「知」活用プログラムを通じて、オンライン授業を経験した障害学生と授業担当教員を対象にオンライン授業のアクセシビリティ調査を行い、対面授業と比べてオンライン授業が持つ利点や課題を調べた（図２）。

筑波大学における障害学生支援の中核を担うダイバーシティ・アクセシビリティ・キャリアセンター（以下、DAC センター）の協力を得て、試験期間終了後の 2020 年 7 月上旬に WEB によるアクセシビリティ調査を実施した。障害学生向けの調査では学生の障害分類に応じて、最も受講しやすい授業と受講しにくかった授業を調べ、授業担当教員向けの調査では授業実施の負担感等を調べた。WEB 調査により、DAC センターの障害学生支援を利用する障害学生 25 人および障害学生が春学期に受講した授業の担当教員 72 人より回答を得た。調査結果の一部として、障害学生および授業担当教員におけ

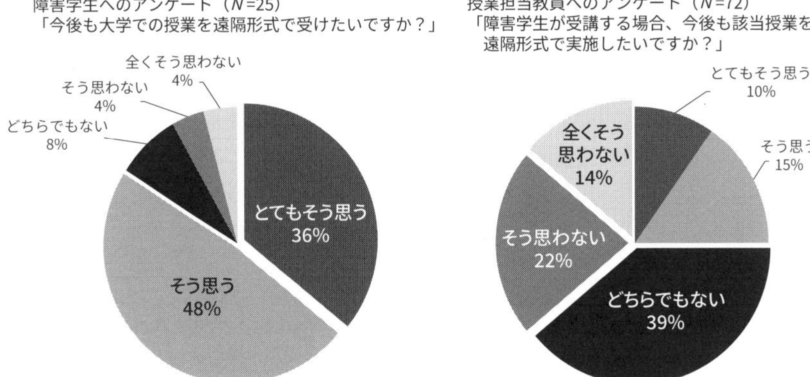

図３　筑波大学における障害学生（左図）と授業担当教員のオンライン授業の継続希望
出典：佐々木（2020）より引用

るオンライン授業の継続希望に関する評価を図３に示す。

(2) 筑波大学の障害学生における調査結果

図3より、障害学生がオンライン授業を受講する場合、今後も遠隔（オンライン）形式で授業を受けたいかについて尋ねると約8割の障害学生がオンラインを高く評価していた。調査項目が異なるため単純比較することは難しいが、2020年4月に一般大学生を対象にした調査（全国大学生活協同組合連合会 2020）において、対面授業とオンライン授業の継続希望に関して、オンライン授業を続けてほしいと回答した割合が約42%であったことを踏まえると、障害学生においてオンライン授業の評価がとても高かったことが窺える。それぞれの障害に応じた支援を受け、オンライン授業で用いられるシステム等の機能・利点を活用できた結果といえるかもしれない。このように、新型コロナの拡大により必要を迫られたオンラインで授業を受けるという形態には、障害学生が障害のない学生と同等に授業にアクセスできる可能性が秘められている。

(3) 筑波大学の授業担当教員における調査結果

一方で、障害学生が受講する授業の担当教員においては、「どちらでもない」という中立的な回答が最も多く、否定的な回答と合わせると約75%の教員で、障害学生が受講するとしても授業をオンラインで実施することは肯定的ではないという障害学生とは対比的な結果となった。その理由としては、オンライン授業の実施上の課題が影響していると考えられる。たとえば、演習や実習科目において新型コロナの影響によりオンライン授業となった科目も多くあったが、科目の性質上、実技や実地での学びが必要不可欠な要素となっていた場合が多い。また、講義形式の科目であっても、オンライン授業では受講生側の反応を即時的につかむことが極めて困難であり、授業進行における新たな困難が生じていたことも結果に影響していたと考えられる。オンライン授業を実施する教員においては負担の増加を訴える声もあり、障害学生と授業担当教員間のオンライン授業に関するギャップを解消しなければ、なかなかオンライン授業へのアクセスを保障することは難しいことが窺える。加えて、本調査は日本の障害学生支援における拠点校の一つである筑波大学を対象としたことを踏まえると、障害学生に対する修学支援や合理的配慮の提供について十分な体制が整っていない大学では一人ひとりの教員に求められる負担がより大きくなる可能性が考えられる。

3. 全国の大学等における障害学生のオンライン授業受講に関する調査

(1) 調査概要

そこで、筆者は2020年12月から2021年2月にかけて、独立行政法人日本学生支援機構からの受託事業という形で「障害のある学生への修学支援における学生本人による効果評価に関する調査研究（プロジェクト研究）」を行った（独立行政法人日本学生支援機構 2021b)。本調査は障害学生が大学等に申請した、あるいは提供された合理的配慮に対して障害学生本人による効果評価を行い、配慮内容の有効性を明らかにすることを目的として、2019年度と2020年度の2カ年行われている。特に、2020年度調査では新型コロナの拡大に伴う大学等におけるオンライン授業に対する障害学生の修学支援

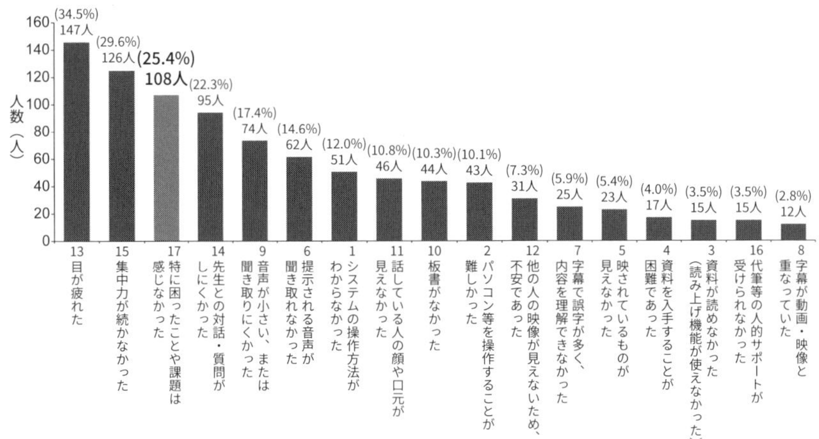

図４　障害学生がオンライン授業で困ったこと・課題
出典：独立行政法人日本学生支援機構（2021b）より引用

状況ならびに学生生活の変化を明らかにすることを目的とした。2020 年度調査では後期授業を経験した学生を対象に全国 127 校の大学等の高等教育機関に在籍する 431 人の障害学生から回答を得た。

(2) 障害学生がオンライン授業で困ったこと・課題

図４には、障害学生がオンライン授業でどのようなことに困ったのか、課題はどのようなことであったかを示す。最も多かった内容が「目が疲れた（147 人：34.5%）」であり、次いで、「集中力が続かなかった（126 人：29.6%）」、その次に多かった内容が「特に困ったことや課題は感じなかった（108 人：25.4%）」となった。目の疲れや集中力の持続困難は障害のない学生からも訴えのあることが多い項目でもあるが、困ったことや課題を感じなかった障害学生が約４分の１に及ぶことは特徴的であったといえる。この割合を少ないとみるか、多いとみるかは難しいところであるが、一部の障害学生にとってオンライン授業はアクセスしやすい授業方法であったのかもしれない。

表1　オンライン授業で障害学生が新たに必要とした配慮内容

配慮内容	該当人数（構成比）
37_ オンデマンド動画・資料の利用期限の柔軟な設定	5／5人（100%）
オンライン授業で動画視聴や課題提出が頻繁に行われることに伴って、対面授業では生じなかった 動画視聴期限や資料の利用期限などに対して時間延長の配慮が必要になった	
39_ チャット等の活用	11／12人（91.7%）
オンライン授業（リアルタイム：同時双方向）において、音声コミュニケーションが苦手な聴覚障害、言語障害、発達障害等のある学生での新たな配慮内容として必要になった	
40_ カメラやマイクのオフ	13／17人（76.5%）
発達障害や精神障害のある学生において他者の映像や自身の映像をオフにすることで障害により生じる 不安や緊張等を緩和して授業にアクセスしやすくするために必要になった	
9_ ビデオ教材字幕付け・文字起こし	15／25人（60.0%）
聴覚障害等のある学生においてはオンデマンド動画や音声教材から情報を取得することが難しいため、リアルタイムの要約筆記ではなく、オンデマンド教材に字幕を音声認識により付与することや 文字起こしを行うことの必要性が対面授業と比べて増加した可能性	

出典：独立行政法人日本学生支援機構（2021b）より引用

⑶ オンライン授業で障害学生が新たに必要とした配慮内容

合理的配慮の内容もオンライン授業により新たな内容が求められるようになった。表1にオンライン授業で障害学生が申請した、あるいは提供された配慮内容のうち、構成比で該当する割合が高かった配慮内容を示す。たとえば、「オンデマンド動画・資料の利用期限の柔軟な設定」として、オンライン授業では動画視聴や課題提出が頻繁に行われるため、対面授業では生じなかった視聴期限あるいは資料の利用期限の延長が必要になったということが挙げられる。また、割合も人数も多い内容として「チャット等の活用」がある。これは聴覚障害、言語障害、発達障害等のある学生で音声コミュニケーションが苦手な場合、リアルタイム（同時双方向）の授業で音声によるコミュニケーションが難しく、チャット等を使用することでコミュニケーションの手段を確保することが新たに必要となった。さらに、「カメラやマイクのオフ」も合理的配慮として求められることがあった。オンライン授業では他者の顔が対面よりも近くに見える性質があり、発達障害、精神障害学生にとっては他者や自分の映像をオフにすることで不安や緊張を緩和し、授

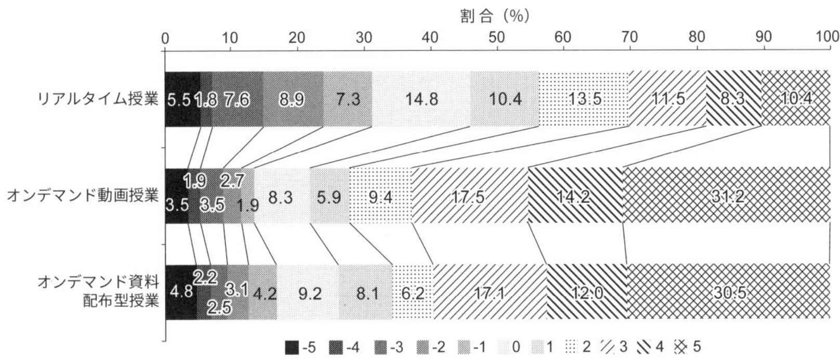

図５　オンライン授業形態別の受講しやすさ
出典：独立行政法人日本学生支援機構（2021b）より引用

業にアクセスしやすくなる場合があった。そして、「ビデオ教材の字幕付け・文字起こし」として、オンデマンド動画に含まれる音声だけで情報取得するのは難しい聴覚障害等のある学生では、音声情報を文字化する目的として字幕を付与することや音声認識を使って文字化をするなどが必要になったことが読み取れる。

⑷ オンライン授業形態別の受講しやすさ

図５には障害学生がオンライン授業の形態（リアルタイム授業、オンデマンド動画授業、オンデマンド資料配布型授業）のそれぞれで対面授業と比べて、どの程度受講しやすいと感じていたかを示している。図５では -5 から 5 までの 11 段階のスケールで評価され、対面授業の受講しやすさを 0 として、プラスになるほどオンライン授業の方が受講しやすいと感じており、マイナスになるほどオンライン授業の方が受講しにくいと感じていることを示している。リアルタイム授業の受講しやすさは障害学生の中でも意見が分かれていた一方で、オンデマンド動画あるいはオンデマンド資料配布型の授業ではプラスの回答、つまりポジティブに評価している方が多いことがわかる。リアルタイム授業よりもオンデマンド授業の方が受講しやすいという傾向は障害学生全体でいえることではあるが、障害種別にみると聴覚障害学生ではオ

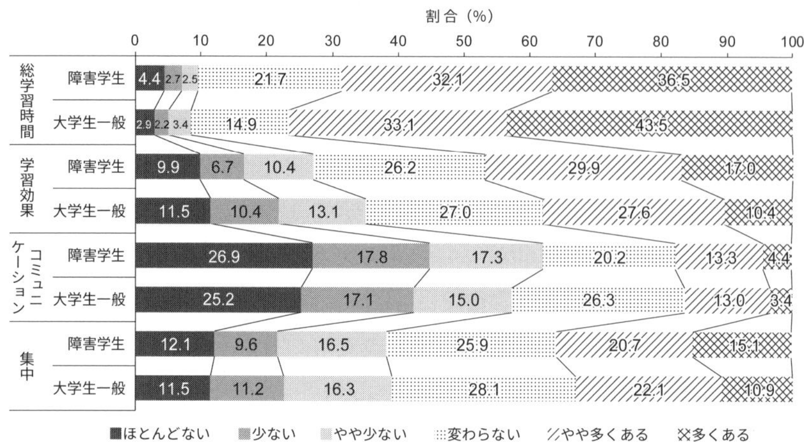

図６　障害学生と大学生一般におけるオンライン授業下での学習状況
出典：独立行政法人日本学生支援機構（2021b）より引用

ンデマンド動画よりもオンデマンド資料配布の方が受講しやすいとの評価も多くあった。この理由として、音声情報が含まれる動画よりも、最初から視覚情報にまとめられている方が正確に、正しく取得できるということがあるのかもしれない。

⑸ 障害学生と大学生一般におけるオンライン授業下での学習状況

障害のない学生と障害学生ではオンライン授業下の学習状況に違いが見られたかという点について、図６にまとめている。大学生一般を対象とした先行調査（東洋大学 2020）をもとに同じ項目を障害学生にも調査した。図６からわかることは、障害学生と大学生一般で細かい部分に違いはあるものの、全体的にはオンライン授業による学習状況は障害学生と大学生一般であまり違いがないことを示している。図５におけるオンライン授業の受講しやすさに関する結果を鑑みると、オンライン授業が障害学生に対して全般的には学習しやすい形態であった可能性が考えられる。

しかしながら、障害学生はオンライン授業の方がいいのかというと、必ずしもそうではない。障害学生において今後もオンライン授業を希望する学生

表２　オンライン授業を高く評価した障害学生の声

オンライン授業では配慮を依頼する必要がなくなり、他の学生と同じ条件の下で学習を進めることができるから。［視覚障害（盲）］
字幕がついていると情報量が多いので助かるため、知識を提供するタイプの講義は動画配信型の方が情報量が多いし、自分のペースで字幕を見ることが出来るので楽しかった。特にディスカッションはチャットのみでいつもより参加出来ていると感じられたため。［聴覚障害（聾）］
通学しないことにより、天候の心配、車椅子の充電の心配をしなくてよいこと、音量を自分の意思で変更出来るため、授業の際に聞き取れないことの心配をしなくて良いことにより、気疲れしない、安心できることが大きな理由である。［肢体不自由（上下肢機能障害）］
授業参加のハードルが下がり、今まで出席が足りずに落としてきた単位が多くあったのが、今年度はなくなりました。授業参加がしやすくなったことで理解も深まり、勉強の楽しさもわかるようになって学習意欲も増し、大学で最も勉強できた年となりました。［発達障害（ADHD：注意欠如・多動症）］
今まで資料の配布や課題提出が私だけ個別対応だったものが、一斉配信となりその必要がなくなったことがとても学習しやすい環境だと感じたため。［発達障害(SLD:限局性学習症、学習障害)］
睡眠リズムが崩れやすいため、決まった時間（特に早朝）に通学して授業を受けるよりも、オンラインで授業を視聴する方が身体的にも精神的にもはるかに負担が少ないため。［精神障害（摂食障害、睡眠障害等）］

出典：独立行政法人日本学生支援機構（2021b）をもとに筆者作成

は全体の約 55.6% であった。筑波大学における調査データと比べるとその割合は少なくなっている。この理由として、オンライン授業における合理的配慮の提供を含む支援体制が影響しているかもしれない。また、学生一人ひとりの障害の特徴や学び方に関する意向にも影響を受けていると予想される。

(6) オンライン授業に対する障害学生の声

表２にはオンライン授業を高く評価した障害学生の自由記述の結果を示す。たとえば、障害学生が資料の電子データの提供を合理的配慮として求めることが多かった。オンライン授業になることで、個別の合理的配慮ではなく、最初から受講生全体に電子データが配布されるようになったことで個別の合理的配慮を求めなくても済んだことが窺える。また、動画に字幕がついていることで講義の情報量が多いので助かること、車椅子で移動する必要がなくなるので天候不良など通学の不便さが解消されたことも高く評価されている。発達障害や精神障害のある学生では、オンデマンド授業の方が理解も

表3　オンライン授業を低く評価した障害学生の声

オンライン授業では、資料や動画を見返せたり、自分のペースで学習できたり利点もあるが、私は友だちと一緒に学ぶ空間が好きだし、わからないことなどその場ですぐに聞けるので対面授業の方がいいです。［視覚障害（弱視）］
前期で教師がなれていないのは仕方ないが、後期でも動画状態や資料状態はほとんど改善されず、これが続くのであれば学生の習熟度は大きく落ちると思うから。［聴覚障害（難聴）］
まず教員が自分の存在を認識すらできず、合理的配慮を行う機会そのものがない。さらに一方的に講義が進行し、質疑応答の時間もなく、メールも無効にされているため、疑問点を解消することもできない。［発達障害（ASD：自閉スペクトラム症）］
私は対面型授業の方が集中しやすく、教授とも直接交流が出来るため、薬のことや体調などの情報交換が行いやすい。［精神障害（うつ病、双極性感情障害等の気分障害）］
対面授業に比べて課題などのやることが圧倒的に増えている割には学習効果は対面授業と同じかそれ以下の授業が多く感じるため。［精神障害（摂食障害、睡眠障害等）］
対面の授業であれば、いつも前の方で授業を受けることができ、リアクションが先生に伝わりやすいが、オンラインは質問のタイミングもわからないし、自分の表情や状況も伝わらず、授業についていけなかった。［診断無＋傾向有：発達障害（ASD：自閉スペクトラム症）］

出典：独立行政法人日本学生支援機構（2021b）をもとに筆者作成

深まって楽しく、オンラインで授業を視聴する方が身体的にも精神的にもはるかに負担が少ないという場合もあり、多様な障害種別にわたって、オンライン授業を肯定的に捉えられている学生がいる。

一方で、障害学生にとってもオンライン授業の課題は多い。表3にオンライン授業を低く評価した学生の自由記述の結果を示す。たとえば、友達と一緒に学ぶ空間が好きであり、わからないことがすぐに聞けるので対面授業の方がいいという声もあった。この点は障害の要因に必ずしも起因するものではなく、学生自身の学びに対する姿勢や考え方の要因も大きいと予想される。また、オンライン授業で字幕がつけられたとしても、動画や資料の状態を障害の特徴に合わせて、あるいは、障害の有無を問わず利用しやすいようにしなければアクセスしにくいということが課題になっている。加えて、教員が自分の存在を認識できないなど授業を担当する教員からの障害学生の見えにくさや、各教員の方針の違いが課題として指摘されている。オンライン授業が良い、対面授業が良いという二元論的な考え方ではなく、障害の特徴や授業の内容・本質を見極めながら、一人ひとりの受講生に合わせて、やり方を調整していくことが求められている。

新型コロナの拡大により、障害学生への合理的配慮の提供にあたり、一つの大きな検討課題が生じた。それは今後、新型コロナが収束した場合に伴って増加が予想される、「対面授業をオンライン（遠隔）で受けることを希望する障害学生への対応」である。新型コロナ拡大前では、授業の本質的な変更にあたる、通学制なのでオンライン授業には対応しない、機材や配信の技術もないため実現できないなどを理由に申請を拒否してきた例も少なくない。しかしながら、新型コロナの拡大に伴って、奇しくも、不特定多数の障害学生も含めて、障害の有無にかかわらず、オンライン授業が提供されることになった。このことは、オンラインで授業を受けるということが実現可能になったことを示す。つまり、対面授業が再開されても障害学生がオンラインで授業を受講することは個別の合理的配慮として選択肢になり得るケースが出てくると予想される。ここで重要な点は、オンライン授業においても授業の到達目標などの本質は変更しない、ということである。新型コロナの拡大によって、そして、障害学生への対応により各教員は自身の授業、教育課程において何が本質であるのか、何を学ばせる必要があるのかをより一層明確にすることが求められている。教育の本質が明らかになれば、合理的配慮によって変更できる点、変更できない点もわかりやすくなり、障害学生にとってアクセスしやすい教育環境の構築に資すると期待される。

4. 障害の有無にかかわらず、学びやすいユニバーサルなオンライン授業とは

(1) ユニバーサルなオンライン授業に向けた対応ガイド

個別の合理的配慮と合わせて、もう一つ考えるべき観点は「それは障害学生への個別対応だけでよいのか」ということである。障害学生にとってアクセスしやすい環境を考えることは、障害のない学生にとってもアクセスしやすい可能性が考えられる。それでは、障害学生にとってアクセスしやすい教育環境とはどのような環境であるのだろうか。

筑波大学DACセンターでは2020年度の授業開始に先駆けて「障害のある学生の受講を想定した遠隔授業の対応について」というガイドを各教育組織、授業担当教員宛に通知した。オンライン授業において障害学生に授業担当教員はどのように対応すればよいのかを示したガイドである。障害の分類ではなく、「聞くこと」、「見ること」などの困難やニーズによる分類で対応を示した。この理由として、発達障害学生の中には聴覚障害はないが音声情報処理が苦手な学生、また、視覚障害はないが視覚的な認知能力に困難を有する学生もいるため、特定の障害学生に行われる対応が別の障害学生にも恩恵のある場合が少なくないと考えられた。加えて、海外の通信教育課程を対象とした研究では障害学生が遠隔授業において合理的配慮を求めにくい状況があるという報告も見られている（Roberts et al. 2011）。これらの理由から、オンライン授業では障害が良い意味でも悪い意味でもより一層見えにくいものになるため、ニーズ別に分類をして対応を示すことで、多くの学生に対応する授業担当教員にとって実現可能な方法を提案することを意識して作成された。

(2) 聞くことの困難を有する学生を想定したオンライン授業

まずは、聞くことの困難を有する学生にとってオンライン授業で生じやすい課題として、音声情報の取得の困難がある。たとえば、講師の音声や動画教材の音声、ディスカッションやグループワークの会話などオンライン授業では多くの音声情報が用いられるが、その音声情報にアクセスすることが難しくなる。また、通信環境によって音割れ等の音質不良が発生する確率が高まるため、正確な聴取が難しい場合もある。加えて、教員等がマスクを着用する場合、口型を読み取りながら会話を理解するような聴覚障害学生にとってはマスク着用で口型を読み取れなくなる。さらに、聞き取りが困難な学生の中には発話が難しい場合もあるため、リアルタイム授業において音声で応答を求めることにも困難が生じる場合がある。そのため、授業担当教員等においては、講義資料になるべく文字情報を多めにする、通常の授業よりもゆっくりはっきり話す、動画教材に字幕を挿入するなどの対応を行うことで障害の有無にかかわらず、聞きやすい、わかりやすい授業につながるだろう。もし、動画への字幕挿入が難しい場合や音声ファイルのみを提供するような授業の場合は、読み原稿のように文字化して学生に提供することも有益である。また、オンライン授業で新たに使用できるようになったコミュニケーションモードとして、チャットの利用を許可することも重要なことである。ただし、聞くことの困難を有する学生の特徴は学生一人ひとり異なるため、可能であれば授業前、授業中、授業後に理解度を個別に確認するということが期待される。

先述した動画教材に字幕を挿入する方法はいくつかあるが、新型コロナによって大きく進展した技術の一つでもある。これまで音声を文字化する手法としては要約筆記と呼ばれる、人が音声を聞いて、その音声をパソコンにタイピングすることによって文字を表示する方法が聴覚障害学生への支援としてよく用いられてきた。しかしながら、新型コロナの拡大に伴い、聴覚障害学生の隣に支援者を配置することが物理的に難しくなった。そのため、遠隔で要約筆記をする Web システムの開発や利用が大きく進展した。また、字幕付与に関するもう一つの技術として、音声認識システムを使った自動文字化がある。音声認識システムは音声を自動的に文字にする特徴があり、その点は聞くことの困難を有する学生において、視覚的な情報の量が増えるため、障害の有無にかかわらず大変役に立つと考えられる。しかしながら、音声認識は人によって認識率に差が出ることもあり、集音環境によっても差が生まれることがあるため、必ず誤変換の修正が必要になる。聞こえる人にとっては多少の誤変換が気にならない場合もあるが、聞くことの困難のある学生では情報の正確性は重要である。ここで重要なことは、費用が安い、簡便であるという理由だけで聞くことの困難を有する学生の状況ニーズを聞くことなく勝手に対応を決定するといったことは望まれない。聞くことの困難を有する学生との建設的対話に基づいて、教職員と障害学生が双方合意できる方法を探していくことが必要である。この点は新型コロナにおいても変わることがない営みである。

(3) 見ることの困難を有する学生を想定したオンライン授業

次に、見ることの困難を有する学生には視覚障害や発達障害学生がいる。

オンライン授業で生じやすい見ることの課題として、視覚情報の取得困難が挙げられる。たとえば、スライドや画面共有資料、動画教材の映像、あるいは講師や受講生の表情といった視覚情報を取得することが難しくなる。また、盲（もう）と呼ばれる視覚障害の程度の強い学生や、読み障害学生においては文字を音声読み上げするスクリーンリーダーという特殊なアプリケーション等を使用する場合があり、資料データによってはスクリーンリーダーが機能しないものがある。加えて、Zoomなどのオンライン会議システムにおいてはスクリーンリーダーで十分にアクセスすることが難しいものや、アクセスするために特殊な操作の練習が繰り返し必要な場合もある。そのため、授業担当教員等においては、資料を可能であれば事前に電子データとして提供するとともに、可能であればPDF以外の編集できるような元データで提供することが必要になる。もし、PDFデータを用いる場合にはテキスト認識が可能なものであるかを確認することが必要となる。授業時では視覚情報に対して音声による補足説明を加えることも有効である。たとえば、「この」というような指示語を用いるのではなく、「左上の」「右上の」というように、どの場所を指しているのかを音声で理解ができるような言葉を使うなどが挙げられる。また、授業で使用する教科書、参考書、文献を前もって知らせることによって、紙媒体しか存在しないような資料がある場合は事前にテキストデータ化の対応を進められる場合もある。これらのことは、繰り返しであるが、障害の有無にかかわらず、学びやすい環境をつくるためにも重要な観点である。

⑷ 筆記や操作の困難を有する学生を想定したオンライン授業

そして、筆記や操作に困難を有する学生として肢体不自由のある学生や不器用さを伴う発達障害学生がいるが、オンライン授業を受けながらノートをとることがスムーズではない場合がある。また、パソコンの操作に時間がかかることもある。特に、重度の肢体不自由のある学生においては標準的なマウスやキーボードではなく、専用の入力装置を用いている場合もあり、通常よりもパソコン操作に時間がかかることもある。また、紙媒体の教科書等を一人でページをめくって見るといったことが難しいような学生もいるだろう。

そのため、授業担当教員等においては、課題の提出期限などを筆記や操作にかかる時間を考慮した期限に設定することや、場合によって期限延長を許可することが必要になるかもしれない。また、一人でノートテイクをすることが難しい学生に対しては遠隔で他者にノートテイクをしてもらい、内容を共有するような方法も有効だろう。できる限り、紙媒体の資料をデータ化して一つの端末で操作ができるようにするなど資料作成上の工夫も有益である。

(5) コミュニケーションの困難を有する学生を想定したオンライン授業

最後に、コミュニケーションに困難を有する学生として、発達障害や精神障害学生がいるが、オンライン上での会話がスムーズではない場合がある。たとえば、突然、指名や発言を求めるとうまくコミュニケーションできなかったり、オンライン授業では通常の授業よりも他者の顔が近くに見えるために対人関係上の不安や緊張を引き起こしやすいことがある。ほかにも、ブレイクアウトセッションなどのグループワークにおいては他の学生と会話をすることが難しい場合もある。そのため、授業担当教員等においてはオンライン授業中の発言や会話に関する方針をあらかじめ受講生に伝えておく、必要に応じてビデオをオフにすることを許可する、チャットや文字によるコミュニケーションモードも許可する、グループワークが行われる場合にはあらかじめ予告するとともにグループワーク時の方針を明確化するといったことが必要となる。

このように、障害学生の受講を想定した対応には様々なものがある。このような対応が行われた授業をぜひイメージしていただきたい。あなたにとっても有益な対応があるのではないだろうか。人は誰でも得意なことや苦手なことがあり、障害の有無にかかわらず、人の多様性を活かすようなユニバーサルな教育環境の構築に向けて、障害学生への対応から学ぶことは多い。

おわりに

さらなるディスカッションとして、新型コロナにおいて全国的に普及したオンライン授業は、新型コロナが収束しても障害学生への合理的配慮として限定的に提供すべきか、提供しないべきか、あるいはすべての学生に提供するべきだろうか。理由も含めて考えてほしい。

また、新型コロナの拡大に伴って、障害のある方に及ぼした影響を教育以外の領域においても議論してほしい。

◆参考文献

佐々木銀河 2020「障害のある学生の新たな学び方――公平で効果的な遠隔授業の在り方とは」（https://www.osi.tsukuba.ac.jp/fight_covid19_interview/sasaki/, 2021年11月24日最終閲覧）

全国大学生活共同組合連合会 2020「『緊急！大学生・院生向けアンケート』大学生集計結果速報」（https://www.univcoop.or.jp/covid19/enquete/pdf/link_pdf02.pdf, 2021年11月24日最終閲覧）

筑波大学 2016「障害を理由とする差別の解消の推進に関する対応要領」（https://www.tsukuba.ac.jp/images/pdf/2016g01.pdf, 2021年11月24日最終閲覧）

東洋大学 2020「コロナ禍対応のオンライン講義に関する学生意識調査（2020年度）」（https://www.toyo.ac.jp/research/labo-center/gensha/research/52395/, 2021年11月24日最終閲覧）

独立行政法人日本学生支援機構 2021a「令和2年度（2020年度）障害のある学生の修学支援に関する実態調査結果報告書」（https://www.jasso.go.jp/statistics/gakusei_shogai_syugaku/2020.html, 2021年11月24日最終閲覧）

――. 2021b「令和2年度 障害のある学生への修学支援における学生本人による効果評価に関する調査研究（プロジェクト研究）」（https://www.jasso.go.jp/statistics/gakusei_shogai_project/2020project/index.html, 2021年11月24日最終閲覧）

文部科学省 2017「障害のある学生の修学支援に関する検討会報告（第二次まとめ）について」（https://www.mext.go.jp/b_menu/shingi/chousa/koutou/074/gaiyou/1384405.htm, 2021年11月24日最終閲覧）

――. 2020「新型コロナウイルス感染症対策に関する大学等の対応状況について」（https://www.mext.go.jp/content/20200424-mxt_kouhou01-000004520_10.pdf, 2021年11月24日最終閲覧）

Roberts, J. B., Crittenden, L. A., and Crittenden, J. C., 2011 "Students with Disabilities and Online Learning: A Cross-institutional Study of Perceived Satisfaction with Accessibility Compliance and Services," *Internet and Higher Education* 14(4): 242-250.

III.

新型コロナと日本、世界

7 コロナ下のマイグレーションとマイグランツ

明石純一・大茂矢由佳・金井達也

はじめに

新型コロナウイルス感染症（以下、「新型コロナ」）の蔓延は、人の国際的な往来を大幅に制約した。それによりこれまで比較的容易に、危惧を持つこともなく当たり前のように、人によっては日常的に、国境を越えることが可能であったという以前の現実を知った者も、私たちのなかに少なからずいるだろう。つまり人の越境は、現代に生きる人々の一部であり、今日の国際社会を特徴づける行為である。観光や留学、また就労といった目的を果たすための海外渡航というオプションを、新型コロナは多くの人々から遠ざけた。そこで本章では、国境を越える人の移動（マイグレーション）や国境を越えた人々（マイグランツ）に対して新型コロナが及ぼした影響ならびにその含意を、様々な側面から探ってみたい[1]。具体的には、第1節において、新型コロナの発生以前におけるマイグレーションの拡大と、コロナ下における入国管理を概観しておく。第2節においては、新型コロナのマイグランツへの影響について整理する[2]。第3節では、マイグランツの社会的孤立を助長させ得る差別やヘイトスピーチについて、サイバースペースに着目した分析

1） 本章は、共著者3名が携わった研究事業「コロナ時代の人の越境をめぐる政策と技術」の成果の一部である。特に第4節は、執筆者のひとりである金井達也が実施した留学生ヒアリング（2020年10月～11月）の結果をもとにしている。同節のカギ括弧は、留学生の語りの引用部分である。

2） コロナ下の日本へのマイグレーションや同国で暮らすマイグランツの状況については、鈴木編（2021）により包括的な整理と個別の観点からの考察がなされているため、本章の特に第1節および第2節では言及していない。

からの考察を加えたい。さらに第4節では、日本で学ぶ留学生を事例として、コロナ下でのマイグランツの経験を知り、その声に耳を傾ける。その困難はなにか。どこに光明があるのか。

1. コロナ下のマイグレーション

新型コロナは、人の国際的な往来を大幅に制限したが、人の越境のすべてが静止したわけではない。国際移住機関（International Organization for Migration: IOM）が毎週更新する「グローバル移動規制概況（Global Mobility Restriction Overview）」は、その時々の渡航制限の様子をまとめている（IOM 2021）。同資料によれば、特定の国や地域から自国への人の越境移動を認めない厳格な措置は、入国管理上の対応全体の3割に満たない。陰性証明、ワクチンの事前接種、入国時の検査、その後の隔離や滞在時の位置情報提供といった諸条件のもと、海外渡航は認められてきたのである。この渡航制限の程度には、地域的な差があることが知られている。制限が厳しいのはヨーロッパとアジアであり、特に筆者ら、そして多くの読者が暮らす日本では、パンデミック下の海外渡航には高いハードルが据えられているという印象が共有されているであろう。実際にも、海外からの入国にも厳しい水際措置で対応している。

もっとも、冒頭に述べたが、人の国際移動は今日の国際社会情勢の不可分の一部であり、図1からも明らかなように、歴史的に増加基調にある。新型コロナがこの潮流に歯止めをかけることは想像できるものの、長期的には、パンデミックは世界各国各地で働く移住労働者の職を奪って

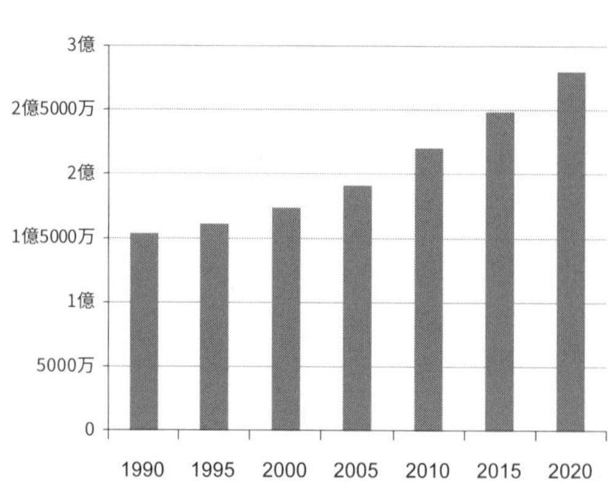

図1　世界における移民数の推移
出典：UN DESA Population Division 資料より作成

いる。一方で、雇用に対するパンデミックの負の影響と回復の速度は国や地域によって異なるため（ILO 2021）、今は抑制されている人の越境がポスト・コロナの時代にはより活発化する可能性があるだろう。相対的に豊富な雇用機会と高い所得水準を求めて、時に生存をかけて、多くの人々が越境する時代が再びやってくることが予想される[3)]。

2. マイグランツへの諸影響

前節に述べたマイグレーションという行為への新型コロナの影響と、マイグランツという存在に対するそれは、種類が異なる[4)]。本節では後者について、第一に感染リスク、第二に生活・生計への不安、第三に心理的負担・ストレスに分けて整理してみよう。まず感染リスクについて、マイグランツは、特に就労に従事している場合、在宅ワークが難しい業態に多く働いていることが指摘されている。これに関連して、先進国においては、医療関係者に占める移民の割合の高さも指摘される。表 1 からは、医療・保健分野で働く移民は、アメリカで 17%、カナダで 27%、EU28 カ国でも 10% を超えていることがわかる。

また、別の観点では、特に低熟練の外国人労働者特有の生活環境が、同リスクを高めることが想像できる。それを明らかにしたのはシンガポールにおける新型コロナの感染拡大である。同国では、外国出身の労働者の一部は集団生活を送ることが多く、このことが感染リスクを高める要因となっている。2020 年 9 月 10 日時点の数字であるが、同国における約 5 万 7000 人の感染

3）国際人口移動が今後とも進むとする新型コロナ発生以前における世界銀行による予測であるが、高所得国と低所得国の賃金水準比は 54 対 1 であり、仮に現在のペースで後者の所得が前者よりも早く上昇するとしても、所得差が埋まるのに 135 年かかるという（World Bank 2019: xvi-xvii）。

4）本章では、マイグランツを国際移住者や外国にルーツがある人々一般を示す包括概念として定義しておく。マイグランツの訳としては「移民」が充てられるが、日本語のニュアンスでは、永住が前提とされやすく、本章が議論する対象とは必ずしも一致しない。マイグランツあるいは移民には世界で一致している定義がなく、本章では、移動・移住先の国籍や法的資格の種類などは問わず、留学や就労を含む中長期的な移住者を含むものとする。

表１　先進国における移民の就労分野の割合

	アメリカ合衆国	カナダ	EU 28
家事労働	46	60	52
ホスピタリティ	24	31	25
医療・保険	17	27	11

出典：OECD（2020）より作成

者のうち、実に94%がドミトリーで集団生活を送る南アジアや中国からの移住労働者であった（Ministry of Health, Singapore 2020）。

さらに建設業などにも多く関わる外国人労働者は、先述の医療関係者と同様、在宅ワークが認められにくい。現場にいて仕事が成立するためである。つまり生活環境のみならず、就労環境においても、移住労働者は国民に比べ感染リスクが相対的に高い。また、ワクチン接種についての情報や、感染後の治療についての情報へのアクセスに言語的な壁が存在するならば、その壁は「情報弱者」を作り出し、マイグランツにとっての感染や医療・健康リスクを増すであろう。移住労働者や難民など、その属性により感染リスクが高いと考えられるグループへの配慮については、2020年5月時点で、世界保健機構が暫定的な手引きを示している（World Health Organization 2020）。しかし考えてみると、情報弱者の存在はコロナ下の問題というだけに留まらない。とある極東の島国のように、公用語がその国でしか話されていない非グローバル言語である社会では、天災などが生じたとき、情報へのアクセスの困難さと相まって、マイグランツの生命の安全にとっての脅威を増す。

第二に、生活・生計への影響も無視できない。一般に、移民の失業率は国民のそれに比して高い（OECD 2016）。雇用形態という点でも不安定であることが多い。さらに、新型コロナが、特定の産業により深刻なマイナス影響を与えていることに留意しなければならない。たとえば、表1からは、ホスピタリティ、すなわち飲食業や宿泊業などに従事する移民の割合が高いことがわかるが、これらの業種はコロナ下で最も大きいマイナスの打撃を受けた産業でもある。マイグランツに永住が認められているか、あるいは就労を条件として滞在が認められているかによって新型コロナの作用は異なるであろう。仮に後者である場合、その人物が失業に追い込まれ、さらには帰国制限が課されるならば、困窮度が増し、日々の生計を立てることが難儀となる。

第三に、上述の点と無関係ではないが、マイグランツの不安など心理的負担・ストレスについて述べておきたい。新型コロナはソーシャル・ディスタンスを要請する。しかし、ソーシャル・ディスタンスはソーシャル・キャピタル（社会資本もしくは社会関係資本）の形成を阻害する。社会関係資本とは、端的にいえば人と人のつながりであり、信頼関係であり、それを持つことが、キャリアアップの機会や生活満足度の向上に資するネットワークである。むろん社会関係資本の形成機会の喪失は、マイグランツのみならず、国民にもいえることである。しかし、マイグランツの一定数が、家族を母国に残し、移住先で頼ることができる友人関係を構築できていない場合、社会的な孤立が深刻化しやすい。移民の孤立や周縁化は、「平時」であっても解決すべき課題であるが、新型コロナはその課題解決を容易ならざるものとした。

また、感染拡大による学校の閉鎖などは、移民児童の教育環境にマイナスの作用を及ぼす。社会関係資本と同様、すべてのケースに該当するわけではないが、特にマイグランツの児童は、移住先での公用語を学校で習い、家庭では母国語（母語）でのコミュニケーションを行う場合が多く想定される。しかし、新型コロナの影響により教育機関での学びが進まなければ、ホスト社会の言語や文化や固有の知識などの習得がままならず、マイグランツであることによる学習上のハンディキャップを取り戻すことが難しくなる。

さらに、新型コロナはマイグランツに対する偏見や嫌悪を生み出す可能性もある。アメリカにおけるアジア系移民へのヘイトクライムが問題化しているという事実は、各種報道により、周知のとおりである。サイバースペースにおいてもリアルな空間においても、少数派として目立ちやすいことが多々あるマイグランツが攻撃の対象となれば、それは社会全体の不安や分断へとつながるだろう。

3. サイバースペースにおけるマイグランツへの差別・嫌悪

上で整理してきたように、コロナ下における移動や活動の制限は、マイグランツに心理的不安やストレスの拡大をもたらしてきた。特に、社会的孤立感や疎外感を助長させる要因として、ホスト社会からの差別や嫌悪にさらされることも無視できない。大規模災害やテロ、感染症の流行などの非常時において、特定の集団に対する差別や嫌悪が発生した事例はいくつも報告されている。その主たるものにここで触れることはしないが、とりわけ、人の国際移動が拡大の原因となる感染症は、マイグランツに対する差別を生み出してきた。

明戸（2021）によれば、感染症との関連で生まれる差別には、感染拡大の過程で生じるものと感染対策の過程で生じるものが存在する。前者は偏見やヘイトスピーチに代表される社会的差別であり、後者は公的制度の設計や運用の過程で顕在化する構造的差別である。コロナ下の日本でも、両方の差別がマイグランツに対してなされたことが、多くの記事や論考、ドキュメントなどで報告されている。幸い、アメリカのような人種に基づくヘイトクライムや身体的暴力は、日本においては報告されていない。しかし、とりわけ感染拡大の初期段階においては、中華料理店に嫌がらせの手紙が届いたり、飲食店の入り口に外国人の入店を拒否する張り紙が掲示されたりするなど、マイグランツを標的とした差別的言動が度々報道されていたことは、記憶に新しい。

過去の感染症の事例と今般の新型コロナを分かつ大きな要素の一つとして、メディア環境の違いが指摘できるだろう。たとえば、SARS（Severe Acute Respiratory Syndrome, 重症急性呼吸器症候群）が流行した2002年当時は、マスメディアがほぼ唯一のニュース情報源であったし、MERS（Middle East Respiratory Syndrome, 中東呼吸器症候群）が流行した2012年でさえ、ソーシャルメディア（以下、「SNS」）の普及度はそれほど高くなかった。一方、コロナ下の現代はSNSが成熟し、日本における利用率は69.0%（2019年時点）となっている（総務省 2020: 340）[5]。また、総務省が行った新型コロナの情報源に関する調査では、Yahoo! ニュース（62.6%）が民間放送（71.6%）に次ぐ利用率の高さとなっている（総務省総合通信基盤局 2020）。10代と20

5）前年と比較して9%の増加。13～59歳の世代に限ると、利用率は79.9%にのぼる。

代にいたっては、約半数がTwitterを情報源として利用していることも同調査によって明らかになっている。こうしたメディア環境の変化にともない、差別やヘイトスピーチが行われる場も、リアルな空間からサイバースペースへと拡大している[6]。特に外出の自粛やソーシャル・ディスタンスが求められるコロナ下においては、サイバースペースへの移行がより加速したといえるだろう。

情報源の一つとしての地位を確立しつつあるTwitterで、特に感染拡大の時期にいかなるトピックが話題になっていたのかについては、Omoya and Kaigo（2020）が分析を行っている。同研究では、2020年2月6日から同年4月10日の期間中に「#コロナウイルス」というハッシュタグと共に発信された日本語ツイートを分析対象とし、収集されたデータを世界保健機関（WHO）によるパンデミック宣言が発表された3月11日で分割している。データ数は宣言前が8万8161ツイート、宣言後が8万3835ツイートであった。トピックモデルによる分析の結果、宣言前のツイートのなかに頻繁に出現したトピックとして、(1)国際ニュース、(2)イベントの自粛や中止、(3)デマ、(4)医療、(5)陽性者に関する情報、(6)政府批判、(7)ダイアモンド・プリンセス号、(8)自衛隊の医療支援があった。感染拡大の初期段階ともいえるパンデミック宣言前は、流行の中心地は中国や湖北省武漢であるという認識が一般的であり、ゆえに国際ニュースとしての関心が強かった時期である。また、「いかにウイルスを日本に入れないか」という水際対策が最大の関心事であり、これが海外からの入国者に対する厳しい措置、および社会的な攻撃の的となる要因であったと考えられる。また、初めて経験する未知のウイルスへの恐怖から、様々なデマが飛び交い、買い占めなどの問題も発生した。

一方、宣言後には、(1)知事による自粛要請、(2)流行収束への願い、(3)東京のロックダウン、(4)医療崩壊、(5)医療物資、(6)メディア報道、(7)特別定額給付金、(8)エンタメ、(9)著名人・芸能人の9トピックが出現していた。

6）近年、特に2000年代中頃以降は、インターネット上での外国人差別やヘイトスピーチに関する研究が急増している。

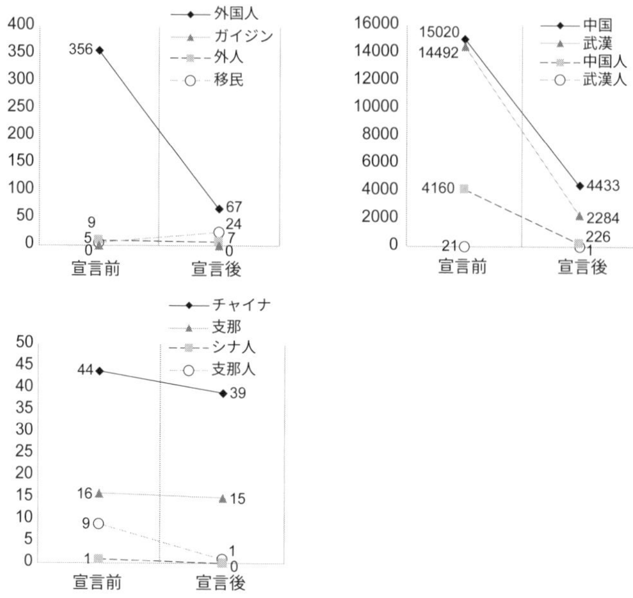

図２　パンデミック宣言前後における外国人関連ワードの出現数（差別的表現を含む）
出典：筆者作成

いずれのトピックも日本の社会や政治に関わるものであり、差別や陰謀、デマ関連のトピックは抽出されていない。サイバースペースにおける情報流通については、その拡散のスピードに注目が集まることが多い。しかし、同研究のトピックモデル分析の結果に依拠するならば、ファクトに基づかない情報は自浄されるスピードも速いことが示唆される。

本節では、この Omoya and Kaigo (2020) で用いたツイッターデータをもとに、外国人差別やヘイトスピーチに特化した分析を行ってみたい。高 (2015) のコーディング表を参考に、新型コロナの流行初期に関連が深いと考えられるキーワードを 12 個選定し、それらのワードの出現数を算出した。パンデミック宣言前後での出現数を比較したグラフが図２である。左上のグラフは、日本語で「外国人」を示す一般的なワードである。「外国人」の出現数は宣言前には 356 回と多かったものの、宣言後には 67 回にまで減少している。差別的な含意のある「外人」は、宣言の前後いずれの時期においても 10 回未満の出現数であり、「ガイジン」にいたっては一度も出現していない。右上のグラフは、調査時期における新型コロナの流行の中心地であった中国と武漢に関連するワードである。宣言前は、「中国」と「武漢」の出現数が突出して多く、宣言後と比較した時の減少幅が極めて大きい。また、「中国人」も同様に右肩下がりである。一方、「武漢人」の出現頻度は宣言前から高くなく、宣言後には 1 回にまで減少している。左下のグラフは、中国や中国人に対する差別的表現である。「チャイナ」と「支那」は時期による出現数の違いはほとんどなく、それぞれ 40 回前後、15 回前後で推移している。一方、中国人の蔑称である「シナ人」と「支那人」は、いずれも出現数が極めて少なく、宣言後にはほぼ出現していない。

以上の図 2 に示されたように、宣言前のツイートには中国や武漢などの地名やそこに暮らす人を示すワードが頻出している。このことは、当時の世界の感染状況に照らし合わせれば不思議ではないだろう。それ以上に注目に値するのは、パンデミック宣言後の急速な減少である。WHO のパンデミック宣言は、新型コロナが世界規模で拡大・蔓延していることを宣言するものであり、そのなかには当然ながら日本も含まれている。この宣言によって、「新型コロナ＝中国で蔓延しているウイルス」ではなく、日本国内でも深刻化している問題としての認識を後押ししたと考えられる[7)]。同考察は、Omoya and Kaigo (2020) の分析において、宣言後のトピックがすべて日本に関連するものであったことからも示唆される。

その一方で、中国に対する差別的表現（チャイナや支那）は、宣言の前後で出現数に大きな変化は認められず、中国を標的としたヘイトスピーチが継続的になされていたことが示唆される。いわゆる「ネット右翼」とよばれる層はネットユーザーの 1% にも満たないとされている一方、Twitter に特化した Takikawa and Nagayoshi (2017) の研究では、ユーザーの約 10% が極

7) 権威ある機関によるラベル付けによって、その出来事に対する人々の認識が急激に変化することが指摘されている（Spector 2020）。今回の場合、「パンデミック」というラベルが貼られたことで、人々のウイルスに対する危機感を一層高めたといえる。

右にカテゴライズされることが指摘されている。このことを踏まえると、本節の分析に使用した17万を超えるツイートのなかで、差別的表現の出現数が宣言前後を合わせても100回に満たないというのは、数としては大きくない。このことから、Twitter上での差別やヘイトスピーチが新型コロナによって煽動されたというよりは、日常的に差別的な発言を行っている「ネット右翼」アカウントが、コロナ下においても継続的にツイートしていたということが推察される。

以上に議論してきたように、新型コロナの拡大初期における日本語ツイートを対象とした分析では、あからさまな外国人差別の増加は確認されなかった。これは、歴史的に繰り返されてきた感染症と外国人差別の問題が、コロナ下においてはある程度抑制されたことを示しており、収束の兆しを見せない新型コロナとの闘いのなかの一抹の光明といえるかもしれない。しかし、パンデミック宣言から1年半近くが経過し、焦燥感が漂う社会において、いつ何時、マイノリティであるマイグランツに攻撃の矢が向けられるとも限らない。新型コロナの起源の特定や、変異株が最初に発見された国を強調するような動きも、一部では見られる[8)]。こうした「わかりやすい悪者」を作り上げる動きが加速していけば、日本に暮らすマイグランツへの影響も避けられないだろう。誰もが情報の発信者となり得る現代だからこそ、私たち一人ひとりに、正しい情報を選び取るメディアリテラシーと冷静さが求められている。

4. 日本で学ぶ留学生の苦悩と挑戦

新型コロナは様々な属性のマイグランツに影響を及ぼしてきたが、留学生もその例外ではない。日本で学ぶ留学生の数は、新型コロナの影響を受けるまでは概ね増加基調であり、一時は30万人に達していた（図3）。海外での日本語学習ニーズの高まりなども、その一因として考えられる。多くの首都

8） 変異株の呼称については、原産国ではなく、ギリシャ文字のアルファベットで呼称することがWHOによって要請されている（WHO 2021）。

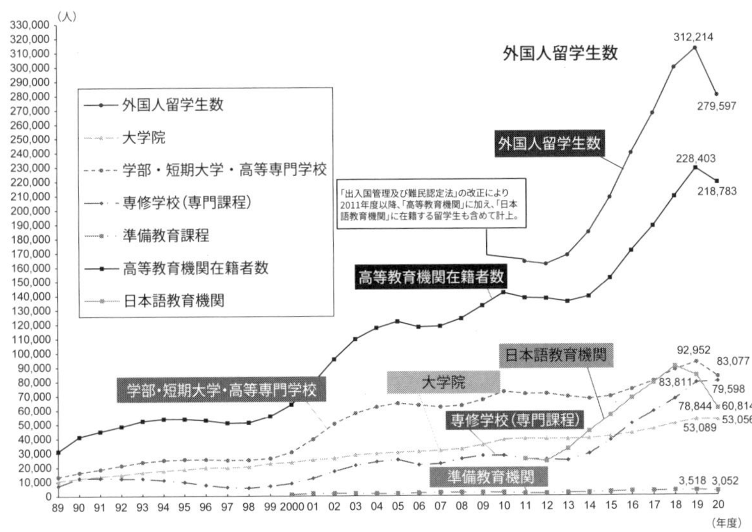

図３　日本における留学生の受入れ数の推移
出典：日本学生支援機構（2021）より抜粋

圏の大学と同様に、関東北部に位置する筑波大学では、新型コロナの影響により2020年春の入学式など対面式の行事がすべて中止された。オンラインでの授業が開始されたのは5月に入ってからであり、その後2020年度を通じて、授業は基本的にオンラインでの実施となった。こうした状況のもと、同大学の全学生数の約13.6%を占める留学生[9]は、新年度の学生生活を大学スタッフや同級生との直接的な交流なしに開始させることを余儀なくされた。また、大学スタッフ側も、個々の留学生の状況を十分に把握することができていなかったものと考えられる。

本節では、筑波大学で学ぶ留学生が、新型コロナの流行によってどのような環境に置かれたか、そして、この難局をいかにして打開しようとしてきたのかを探るべく、当事者である留学生32人にヒアリングを行った。調査の

9)　筑波大学で学ぶ学生1万6586人のうち、2251人が留学生である（2020年5月1日時点）。

対象は筑波大学の博士前期・後期課程在籍者および研究生である。オンライン授業下の主要コミュニケーション手段であるSlackを通じて3人の協力者を募り、その後は回答者から知人を紹介してもらうスノーボーリング方式により全体の90%の協力者を得た。ヒアリング方式はZoom（19人）および対面（13人）であり、各1時間程度のヒアリングを英語（11人）および日本語（21人）で行った。出身地域をみると、アジア出身者が32人中の過半を占め、欧州・アフリカ・中央アジア・北米南米からの留学生がそれぞれ3〜4人程度であった。学年は、大学院入学前の研究生から博士前期・後期課程まで、ほぼ均等に分散した。性別は男性が12人、女性が20人である。ヒアリング時点で、27人は筑波大学キャンパス周辺に居住、1人は東京に在住、本国から来日できない学生や本国に帰国した学生は合計4人であった。

留学生とのヒアリングで聞かれた新型コロナの影響は、概ね生活・経済面、メンタル面、学業・研究面、将来計画やキャリアの4カテゴリに整理することができる[10)]。第一のコロナ下の生活・経済については、以下のようにまとめられる。日本において新型コロナの影響が顕在化したのは2020年3月であり、新年度と重なっていた。ゆえに入学式等の行事がほぼ中止されたことは前述のとおりである。とはいえ、多くの正規留学生には、大学院入学前に、研究生として大学で過ごす期間や、語学留学生として日本語授業を受ける期間がある。つまり、新入生を含む正規留学生のほとんどは、2020年4月時点で、一定期間すでに日本に滞在していた。その結果、日本での生活適応と新型コロナ対応という共時的な困難は、多くの場合において回避された。実際、ヒアリング対象の留学生のうち、2020年3月に来日した者は1人に過ぎなかった。そのほか、4月に留学開始予定であったものの、日本への入国許可待ちの者が2人、留学の開始時期を10月に延期した者が1人いた。

2020年4月7日に発出された第1回目の緊急事態宣言は、日本人学生にとっても留学生にとっても初めての経験であったが、留学生は冷静に対処

10）日本で学ぶ留学生に対する新型コロナの影響に関する調査や論考として、近藤・石倉（2020）、公益財団法人かながわ国際交流財団（2020）、高向・田中（2021）を挙げておきたい。経済的困窮や学習、キャリア展望など、本章と共通する内容は少なくない。

することができたと思われる。留学生からは、「一日中家にいて、スーパーにのみ外出して自炊」、あるいは「夜間や人のいない時間に散歩に出るだけ」「研究生室に行くことが禁止されただけで、文献を読み自分の論文を読む、という研究生活のルーティーンは変わらなかった」という声が聞かれた。

新型コロナが留学生にとって最も打撃となったのはやはり経済面である。アルバイトの機会は新型コロナの顕在化とともに大幅に減少し、ヒアリングを行った2020年第4四半期時点では、新型コロナ流行前の水準には回復していなかった。「コロナにより仕事がなくなる」ことに加えて、感染防止のため「暫く自分からやめることにした」という要因が作用している。経済的に困難な状況にある留学生に対して筑波大学は、政府による支援とは別の資金支援・学費減免を実施している。この支援金は、「授業料の支払い」や「オンライン機材の購入」等に使われ、多くの留学生に感謝された。とはいえ日本では留学生のアルバイトが比較的容易なこと、学業や生活の糧としてもアルバイト収入が重要であることを考えると、雇用機会を減少させた新型コロナは、留学生にとって厳しい現実を突きつけたといえるだろう。

日本人の観点に立つと忘れてしまいがちなのが、新型コロナによる日本への入国制限という留学生への影響である。この点についてヒアリングでは、「母国の恩師に研究の相談に行く予定だったが、再来日出来るかどうか分からない」「フライトも高い」「いつ時帰省出来るか分からない」「春休みに帰省した修士の友人が半年たった最近ようやく再来日した」という声が聞かれた。留学生にとって出入国上の制約は、ときに学びそのものを制約することにもつながる。

第二に、メンタルの問題である。この問題は、友人・家族とのつながりや日本人・日本語との触れ合いにも関連する。コロナ下では、メンタルは最大の懸念であり、ヒアリング対象であった留学生の過半が同問題に直面したと述べている。たとえば、「ずっと部屋にいてやる気が起きない」「仲間がいないと学校にいる意識がない」「寂しい、一人でご飯を作っても美味しくない」などと述べられた。このような状況を受けて、筑波大学はメンタルヘルスを意識したオンライン企画を開催した。参加した留学生は、その効果を高く評価している。一方で、家族と共に暮らす留学生やシェアハウスで暮らす留学生は、話し相手がいるという状況がメンタルの安定に役立ったと述べている。上記のように、会話の効用は大きいが、新年度開始時点からほぼすべてがオンライン化した状況のなかで、新たな友人をつくることは困難を極めた。ヒアリングにおいては、「4 月以降新しい友達はいない」「春学期の間、同級生を誰も知らない」「社交量が減り、友人が減った」「面と向かって会う機会がないと、自然に挨拶するようになることもない」と苦しい状況が述べられた。

SNS 世代の留学生にとっても、オンラインで友達をつくることは難しい。たとえば、「オンラインは、すでに知っている友達同士で有効」「授業のオンラインで一緒になった人と SNS を交換するが、会ったことがないので、何を話していいか分からない」「オンラインで友達を作るのは難しいか無理、急にご飯食べに行こう、というのは違和感がある」などど、オンラインでの友人づくりについては、ほぼ全員が後ろ向きのコメントをした。このような難しい状況下では、母国の家族との交流は大きな心の支えとなる。「オンライン、Facebook で両親・兄弟と連絡」「週二三回、両親と話している」「私は両親を心配、両親は私を心配」といったコメントがある。また、母国を同じくする留学生は SNS コミュニティを通じてオンライン交流を行っている。

上記とも深く関連するが、第三は、学業・研究についてである。貴重な日本留学の機会を最大限に活用するには、日本人・日本語との触れ合いが不可欠である。しかし、コロナ下のオンライン生活によって、こうした機会が極端に減少してしまっている。この点については、「日本人の友達は一人しかいない」「4 月に日本に来てオンライン生活、二か月経って初めて実際に日本語をしゃべった」「漢字の本を読むのが大変、日本人チューターに相談する」といったコメントが述べられ、留学生の難しい状況がうかがわれた。

博士前期課程に所属する留学生の第一の課題は、オンライン授業への対応だった。「オンラインの講義にはすぐ順応出来た」が、「質問が出来ない」「お互いの雰囲気が感じられず、グループ・ディスカッションが難しい」「集中できない」「次から次への、一日のオンライン授業が終わると疲れる」と悩みが多い。また、留学生の環境は、「修士 1 年目が本当の学生生活、集まり、同じ悩みを共有し、仲間になった。今年 2 年目は、研究生室に一人ぼっち」「教室にはほとんど行かない」「図書館には行きたくないので、オンライン」に一変してしまった。加えて、複数の留学生が「自分の研究の進捗がよく分からないので先生とアポが取れない」「先延ばしの悪循環が続く」と話している。オンラインのもとでは、留学生が感じる教員との距離は、逆から感じる距離よりも遠いことがわかる。

博士後期課程に所属する留学生は、調査や論文執筆、研究発表などの研究活動にも大幅な制限がかかることになった。「インタビューは全く無理。論文レビュー・量的アンケートに方向転換」「母国に戻ってのデータ収集が出来ない」「研究についてのディスカッションが出来ない」といった問題に加え、「海外のコンファレンスにも行けなくなってしまった」。また、博士後期課程で学ぶ留学生の多くは、学部生への支援など、学内の教育補助に携わることが比較的多い。後に問題は解消されたが、「TA（ティーチングアシスタント）としては、（2020年度）春学期初期の対応が一番苦しかった」という。

こうした困難のなかでも、博士前期課程か後期課程かにかかわらず、「一年、一週間、毎日の目標を設定してしっかりやる」「論文、投稿等、自分を忙しくする今日の目標を決めている」と、力強い対応も見られる。なかには、「コロナ下でも研究生活のルーティーンは変わらない」と述べる留学生もおり、各自工夫して前向きに対処していることがわかった。

第四に、将来やキャリアについてである。新型コロナは、留学生の人生計画を変えたのであろうか。このような問いに対してヒアリングでは、過半数の留学生が自分の意志を貫くと話した。具体的には、「コロナ後の就職市場について考えるようになった」「博士課程までだけ考えていたが、より長期で考えるようになった」「日本で就職したいと思っていたが、母国への思いが強くなった」といった声がある。ポスト・コロナの状況にどう対応するか、真剣に考えている様子がうかがわれた。

ヒアリングの最後に、コロナ時代を共にする留学生が前に進むには、どうしたらいいかを聞いた。留学生たちの回答は、「お互いをより大切に思うようになった」「対面で話せる安全な場所が必要。ただ話すこと、それが重要」「コロナが長く続いた今、お互いがどうしているのか知るのが重要。小さなグループから連絡し合おう」など、仲間を思う心にあふれる気持ちが聞かれた。「実際に対面で話す時間とコロナのリスクを管理することの両立、皆で筑波山に行きましょう」。コロナ下で困難さを増す学業生活に挑戦する留学生の力強さを象徴する上の言葉を、本節の最後に残しておきたい。

おわりに

本章では、マイグレーションという行為とマイグランツという存在に及ぼした新型コロナの影響を中心に論じた。前者、すなわちマイグレーションという行為については、公衆衛生上の政策により規制の対象となり、国際的な人の往来に関しては、地域差や国別の対応の違いがあるとしても、執筆時現在（2021年8月）に至るまで制約のもとにある。後者、すなわちマイグランツという存在は、その人々をホスト社会にどう位置づけるのか、あるいはいかに意味づけるのかという、公衆衛生の範囲を超えた問いを惹起する。別言すれば、新型コロナは、それが制約するところの人の国際的な移動という現象の含意を、また、ネガティブな影響を受けやすい移住という現実を再考させる機会を、現代社会にもたらした。

国民とマイグランツの間に線を引き、前者を優先すれば、新型コロナは脆弱なものをより脆弱な立場に追いやってしまう。本章で述べたように、感染リスク、生計・生活への不安、心理的負担・ストレス面で、マイグランツの直面する困難は無視できない。しかし、社会における特定のグループの脆弱性が、社会全体の脆弱性を高めるのも、新型コロナである。であるとすれば、マイグランツであることから生じる区別や差別は、「住民」であることに起因する諸権利や社会包摂によって乗り越えられるべきである。

上に述べたマイグランツの社会包摂に関していえば、リアルな空間での位置づけのみならず、サイバー空間における表象にも意識を向ける必要がある。特にコロナ下では、未知のウイルスに関する情報を得るための手段、あるいはステイホームが求められるなかでの娯楽として、人々のインターネットやSNS利用が活発になった。こうした需要の拡大は日本に暮らすマイグランツの間でも同様である。そして上の事情によりマイグランツ自身を標的とするヘイトスピーチとの接触機会が高まるとすれば、その社会的不安やストレスは増す。マイノリティが疎外されやすい非常時において、リアルな空間とサイバー空間の双方で、マイグランツの社会包摂が実現する条件を今後とも問うていく必要があるだろう。

もちろんマイグランツは、受動的なばかりの存在ではまったくない。マイグランツ同士の連帯の姿勢や共助の実践も、自らを取り巻く状況を好転させる一因にちがいない。新型コロナはマイグランツに苦境をもたらしたが、彼／彼女らが置かれた環境の改善策を模索し、私たちが暮らす社会に備わるレジリエンスを見直す機会を作り出しているともいえるのである。

【謝辞】第 3 節の分析にあたっては、海後宗男教授（筑波大学人文社会系）にデータ使用の了解をいただいた。ここに記して謝意を表したい。また、第 4 節に関して、調査に協力してくださった筑波大学の大学院生（32 名）に感謝申し上げる。

◘文 献

明戸隆浩 2021「社会的危機と差別──ヘイトスピーチ、直接的差別、そして公的差別」鈴木江理子編『アンダーコロナの移民たち──日本社会の脆弱性があらわれた場所』明石書店、111-131 頁

公益財団法人かながわ国際交流財団 2020「『新型コロナウィルス感染症（COVID-19）の影響』に関する留学生アンケート調査結果」（https://www.kifjp.org/wp-new/wp-content/uploads/2021/07/questionnaire.pdf, 2021 年 8 月 25 日最終閲覧）

近藤佐知彦・石倉佑季子 2020「（留学生教育学会）新型コロナ流行と留学生事業について緊急アンケート調査──日本で学ぶ外国人留学生」『アジアの友』542: 2-7.

鈴木江理子編 2021『アンダーコロナの移民たち──日本社会の脆弱性があらわれた場所』明石書店

総務省 2020『令和 2 年版　情報通信白書』（https://www.soumu.go.jp/johotsusintokei/whitepaper/ja/r02/pdf/n5200000.pdf, 2021 年 7 月 21 日最終閲覧）

総務省総合通信基盤局 2020「新型コロナウイルス感染症に関する情報流通調査」（https://www.soumu.go.jp/main_content/000693280.pdf, 2021 年 7 月 11 日最終閲覧）

高史明 2015「日本語 Twitter ユーザーの中国人についての言説の計量的分析──コリアンについての言説との比較」『人文学研究所報』53: 73-86.

高向有理・田中雅子 2021「学べない、働けない、帰れない──留学生は社会の一員として受入れられたのか」鈴木江理子編『アンダーコロナの移民たち──日本社会の脆弱性があらわれた場所』明石書店、74-92 頁

辻大介 2008「インターネットにおける『右傾化』現象に関する実証研究　調査結果概要

報告書」（http://d-tsuji.com/paper/r04/report04.pdf，2021 年 7 月 12 日最終閲覧）

日本学生支援機構 2021『2020（令和 2）年度 外国人留学生在籍状況調査結果』（https://www.studyinjapan.go.jp/ja/_mt/2021/04/date2020z.pdf，2021 年 7 月 12 日最終閲覧）

ILO, 2021, *World Employment and Social Outlook: Trends 2021*, ILO.

IOM, 2021, *Global Mobility Restriction Overview.*（https://reliefweb.int/sites/reliefweb.int/files/resources/DTM-COVID19%20Global%20Overview%20Output%2029.03.2021%20FINAL.pdf，2021 年 8 月 1 日最終閲覧）

Ministry of Health, Singapore, 2020, "Daily Report on COVID-19"（https://www.moh.gov.sg/docs/librariesprovider5/2019-ncov/20200910_daily_report_on_covid-19_cabinet.pdf，2021 年 8 月 1 日最終閲覧）

OECD, 2016, *OECD Factbook 2015-2016: Economic, Environmental and Social Statistics*, OECD Publishing.

——., 2020, *Activities of the Working Party on Migration.*

Omoya, Y. and Kaigo, M., 2020, "Suspicion Begets Idle Fears: An Analysis of COVID-19 Related Topics in Japanese Media and Twitter," *Social Sciences & Humanities Open*, First Look, pp.1-16.（http://dx.doi.org/10.2139/ssrn.3599755，2021 年 7 月 11 日最終閲覧）

Spector, B., 2020, "Even in a Global Pandemic, There's No Such Thing as a Crisis," *Leadership* 16(3): 303-313.

Takikawa, H. and Nagayoshi, K., 2017, "Political Polarization in Social Media: Analysis of the 'Twitter Political Field' in Japan," 2017 IEEE International Conference on Big Data, pp.3143-3150.

UN DESA Population Division, 2021, *International Migrant Stock 2020.*（https://www.un.org/development/desa/pd/content/international-migrant-stock，2021 年 8 月 1 日最終閲覧）

World Bank, 2019, *Leveraging Economic Migration for Development: A Briefing for the World Bank Board*, World Bank Group.

World Health Organization, Western Pacific Region, 2020, *Actions for Consideration in the Care and Protection of Vulnerable Population Groups from COVID-19.*（https://iris.wpro.who.int/bitstream/handle/10665.1/14549/WPR-DSE-2020-021-eng.pdf，2021 年 8 月 1 日最終閲覧）

World Health Organization, 2021, "WHO Announces Simple, Easy-to-Say Labels for SARS-CoV-2 Variants of Interest and Concern" (31 May 2021)（https://www.who.int/news/item/31-05-2021-who-announces-simple-easy-to-say-labels-for-sars-cov-2-variants-of-interest-and-concern，2021 年 7 月 11 日最終閲覧）

8　蔓延初期の日本・英国・ドイツ市民の行動変容

谷口綾子

はじめに――研究領域の前提

筆者は元々工学部土木工学科交通工学／交通計画の出身であり、社会人博士課程在学時に心理学を勉強し、心理学などを都市交通の諸課題解決に応用する研究を行っている。交通工学の二大命題は交通安全と交通円滑化（渋滞緩和）である。交通計画学は、国やまちの言わば血管である道路や公共交通をどのように配置・マネジメントするかを考え、都市計画、国土計画に落とし込んで、公共の福祉の増進、すなわち国民や市民の幸せに資するための学問分野である。交通は、人の動き（旅客）とものの動き（物流）に大別されるが、筆者は旅客を専門としている。人々の行動とその心理をモデル等で記述し、どのように社会的に望ましい方向へ自発的に行動変容してもらうか、政策・施策立案の一助となる研究を目指している。

2020年、新型コロナウイルス感染症（以下、新型コロナ）により、人々の行動は制限され、様々な態度・行動変容が半ば強制的にもたらされた。本章は、この態度・行動変容をまずは「記述」し、今後のパンデミック対策などの政策立案の参考資料とするための研究成果と位置づけられる。

さて、新型コロナ蔓延初期の2020年春、各国は未曾有の感染症対策に右往左往していた。わが国においても、2020年4月7日内閣総理大臣より外出自粛の協力要請を含む「新型コロナ・ウイルス感染症緊急事態宣言（以下、「緊急事態宣言」）」が発出され、5月7日には対象が全都道府県となった。この頃、英国やドイツでは、都市閉鎖や罰則を課した外出行動制限が行われた（表1）。

表1 COVID-19蔓延初期の主な国のCOVID-19対策

対策の方個性	概 要	特 徴	実施国
デジタル監視	■ITによる行動・健康状態監視により感染者を隔離 ■必要に応じて移動規制を実施	■濃厚接触者の隔離により感染者数増加を強力に抑制 ■部分的終息まで短期間で到達可能	中国、韓国、台湾、等
都市封鎖と緩和	■移動規制・解除を繰り返して感染者数を制御	■部分的終息まで短期間で到達可能 ■早期のロックダウン、感染者追跡、潤沢な医療資源のいずれかが感染抑止の成功要因 ■ただし強い移動制限による経済活動の停滞や、規制・解除の反復による経済崩壊が懸念される	ニュージーランド、ドイツ、英国、イタリア、等
緩い規制と啓発	■一定の経済活動を継続 ■クラスター対策等で感染者数制御	■経済活動と感染拡大抑制の両立が可能 ■感染者数急増時への対応が後でに回る可能性 ■また、感染者急増による医療崩壊誘発の懸念	日本、オーストラリア
自主性の尊重	■個人の自由を尊重し、通常に近い経済活動を継続	■集団免疫の早期獲得が可能 ■移動規制えを実施しないため経済活動を継続可能 ■感染者急増による医療崩壊の懸念	スウェーデン、ブラジル、等

出典：「新型コロナウイルス感染症の収束に向けた各国の出口戦略の方向性」（アーサー・ディ・リトル・ジャパン作成）日経新聞（https://www.nikkei.com/article/DGXMZO59366840R20C20A5000000/, 2022年1月25日最終閲覧）参考

これらの政策の結果、私事活動が制限され、テレワークやインターネット通販や宅配が増加し、働き方やライフスタイルが大きく変化した。この変化は、コロナ禍収束後の働き方やライフスタイルにも大きく影響すると考えられる。個々人の変化のみならず、都心の人口一極集中緩和や通勤ラッシュの緩和、オープンスペースや職住近接への関心の高まり、多様な機能を備えた地元生活圏の形成など、まちや国のかたちが変わっていく可能性も考えられる。このような変化を捉えるにあたり、他国と比較することでわが国の特徴がより鮮明に浮かび上がるかもしれない。そこで、都市構造、産業構造や国土構造が日本と類似した先進国であるが、心理的特性やCOVID-19政策は異なると考えられる英国、ドイツと日本とのデータを比較・考察することとした。

以上を踏まえて本章では、新型コロナ蔓延初期の日本、英国、ドイツの3カ国の人々の意識や行動の変化をアンケート調査により把握した結果（石

表２　日本・英国・ドイツの基本情報

<table>
<tr><th>項目</th><th colspan="6">日本</th><th colspan="6">英国</th><th colspan="6">ドイツ</th></tr>
<tr><td rowspan="2">面積</td><td colspan="6">377,915km^2
（陸地 364,485km^2,
水域 13,430km^2）</td><td colspan="6">243,610km^2
（陸地 241,930km^2,
水域 1,680km^2）</td><td colspan="6">357,022km^2
（陸地 348,672km^2,
水域 8,350km^2）</td></tr>
<tr><td colspan="3">東京
2,194km^2</td><td colspan="3">愛知
5,173km^2</td><td colspan="3">Greater London
1,738km^2</td><td colspan="3">West Midlands
12,998km^2</td><td colspan="3">Berlin
1,347km^2</td><td colspan="3">Nordrhein-Westfalen
34,097km^2</td></tr>
<tr><td rowspan="2">人口数</td><td colspan="6">126,168,15610（10位）</td><td colspan="6">65,105,246（22位）</td><td colspan="6">80,457,737（19位）</td></tr>
<tr><td colspan="3">東京
13,754,043</td><td colspan="3">愛知
7,554,204</td><td colspan="3">Greater London
10,585,000</td><td colspan="3">West Midlands
5,860,706</td><td colspan="3">Berlin
4,120,000</td><td colspan="3">Nordrhein-Westfalen
17,842,000</td></tr>
<tr><td>道路全長</td><td colspan="6">1,218,772km（6位）
（高速道路 8,428km）</td><td colspan="6">394,428km（18位）
（高速道路 3,519km）</td><td colspan="6">625,000km（12位）
（高速道路 12,996km）</td></tr>
<tr><td rowspan="2">産業別人口</td><td colspan="2">第1次</td><td colspan="2">第2次</td><td colspan="2">第3次</td><td colspan="2">第1次</td><td colspan="2">第2次</td><td colspan="2">第3次</td><td colspan="2">第1次</td><td colspan="2">第2次</td><td colspan="2">第3次</td></tr>
<tr><td colspan="2">3.4%</td><td colspan="2">24.3%</td><td colspan="2">70.7%</td><td colspan="2">1.1%</td><td colspan="2">18.4%</td><td colspan="2">80.8%</td><td colspan="2">1.3%</td><td colspan="2">27.4%</td><td colspan="2">71.3%</td></tr>
</table>

出典：石橋ほか（2021a）

橋ほか 2021a）を2節にて紹介する。また、思いのほか長期にわたるパンデミックとなった新型コロナ禍の人々の意識と行動の変遷を辿るため、日本の首都圏を対象として2020年4月～2021年7月に同じサンプルを対象に5回実施したパネル調査結果（石橋ほか 2021b; 谷口・石橋 2021）の概要も3節にて紹介したい。

1. 日英独の概要と当時の感染状況、対策

(1) 日本、英国、ドイツの概況

わが国との比較対象として英国とドイツを選定した理由は、日本同様に先進国であり、かつ、都市構造や交通環境が類似しているためである。また、英国は日本と同様に島国であり、移動を制限しやすく、ドイツは日本と産業構造が類似していることも選定理由の一つである（表2）

(2) 日本、英国、ドイツの蔓延初期の感染者数と主な政策

2020年2月～7月の期間における日英独3カ国の新規感染者数の推移と

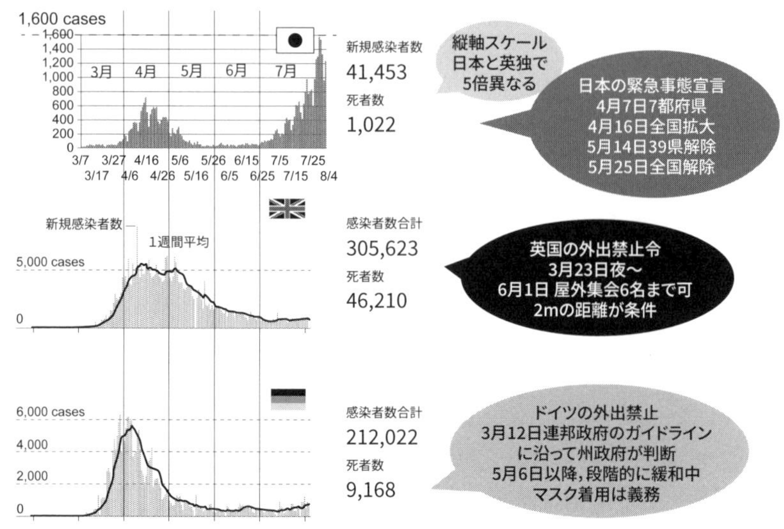

図 1　COVID-19 蔓延初期の日英独の新規感染者数推移と主な政策
感染者数など数値データは 2020 年 8 月 5 日現在。
出典：谷口（2020）

主な政策を図 1 に示す。まず、縦軸の新規感染者数のスケールは、日本と英独で約 5 倍異なっており、英独の感染者数は日本の 5～8 倍となっている。しかしいわゆる感染第一波のピークが 2020 年 4 月頃であることは共通しており、ドイツは 4 月初旬、日本は 4 月中旬、英国は 4 月中旬～5 月上旬となっている。日本の対策は、表 1 に示したように罰則のない「要請」ベースのゆるい規制と啓発である一方、ドイツは連邦政府のガイドラインの下で州政府が地域の実情に応じて罰則を伴う都市ロックダウンとその段階的解除をこまめに実施しており、英国は中央政府主導で外出禁止令やその段階的緩和が実施されている。

(3) アンケート調査の概要

アンケート調査は、2020 年 5 月 7 日～15 日に調査会社に委託してオンライン（Web）にて実施した（石橋ほか 2021a）。対象地域は、交通行動や交

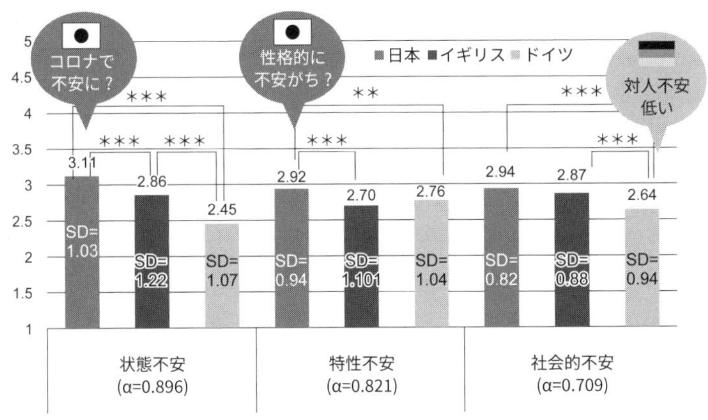

**: $p < 0.05$, ***: $p < 0.001$, α：クロンバックの信頼性係数

図２　不安尺度の日英独比較（平均値の差の七検定）
出典：谷口（2020）

通環境の影響を比較するために日英独の首都圏と自動車に依存した地域の２地域、計６地域である。具体的には、東京都23区、愛知県、ロンドン（英）、ウェスト・ミッドランズ（英）、ベルリン（独）、ノルトライン・ヴェストファーレン州（ルール地方、独）であり、性別・年代（20～60代）を均等割り付けした各地域250名の計1500名である。これらより、この調査結果は各国の地域性を代表するものではないことにご留意いただきたい。

2. 日英独の比較分析

(1) 不安――特性不安・状態不安・社会的不安

まず、人々が新型コロナ蔓延初期にどのような精神状態にあったのかを探るため、不安感に着目した分析を行った結果を図２に示す。社会心理学では、個人内の不安を状態不安（state-anxiety）と特性不安（trait-anxiety）に分類するとともに（Spielberger ed. 1966; 遠山ほか 1976; 岩本ほか 1989）、対人関係の不安を社会的不安として設定している（Watoson and Friend 1969; 石川ほか 1992）。この調査では、個人の中の不安を測る尺度として状態不安と特性不安で構成される不安尺度（State-Trait Anxiety Inventory: STAI）を用いている。状態不安とは、ある状況下で大きく変動するような状態としての不安で、たとえば、何か不安である／神経質になっている／心に悩みがあるなどの設問で測定する。特性不安とは、ある個人において比較的一定しているといわれる性格特性としての不安で、たとえば、難しいことが重なって、もうどうにもならないと感じる／物事を難しく考えてしまう傾向がある／さほど重要でも無いことが気になって悩んでしまう、などの設問が用いられている。社会的不安を測る尺度としては、社会的不安尺度（Fear of Negative Evaluation Scale: FNE）を用いており、これは対人面での不安を測定する尺度　（かつての「対人恐怖症」など）である。具体的には、自分がどんな印象を与えているのかいつも気になる／他の人が私をどう思っているか気にかけないほうである／ 私の友達が自分をどう思っているかをあれこれ考えてしまう、などの設問が用いられている。

図2より、日本人は英国・ドイツよりも状態不安、特性不安が高いことがわかる。社会的不安については、日本人と英国人に有意な差異はないが、ドイツ人は有意に低いことが示された。状態不安は、日本人が最も高く、次いで英国人、最も低いのはドイツ人であった。このことは、図1に示した新規感染者数が、ドイツにおいては比較的落ち着いていたことが影響している可能性がある。特性不安については、英国とドイツに差異はなく、日本人だけが高いことから、日本人は不安に陥りやすい特性を有しているのかもしれない。社会的不安については、日本と英国に差異はなく、ドイツ人が有意に低いことから、ドイツ人は他人にどう見られるかをあまり気にしない傾向があるといえる。この結果は、筆者の周囲の英国、ドイツ滞在経験者からも「そうそう、ドイツ人は人目をあまり気にしない。英国人はドイツ人よりは気にするね。」という感想を得ており、一定の信頼性がありそうである。

⑵ 新型コロナってどのくらいこわい？——リスク認知マップ

こわい、得体が知れない、リスクが大きい、など新型コロナに対し、人々が漠然と抱くイメージはどのようなものであろうか。人々が新型コロナに対して抱く感情には様々なものがあろうが、特に大きな影響を及ぼすであろう心理要因としてリスク・イメージが挙げられる。

リスク心理学者のポール・スロヴィック（Paul Slovic）は、人々が抱くリスク・イメージと実際のリスクの間にはズレがあると述べている（Slovic 1987）。我々人間はすべてのリスクを正しく認知して判断しているのではなく、その事象に対する何らかのリスク・イメージを形成し、判断しているというのである。スロヴィックは様々なハザードを対象とした質問紙調査により、リスク・イメージは恐ろしさ（Dread）、未知性（Unknown）、災害規模（Number of people involved）の三因子を抽出した。そして、これら3つの因子が、色覚知覚の3原色のように組み合わさって個々のハザードに対するリスク・イメージが形成されていると考えた。たとえばプロジェクターの中には、RGBすなわちRed、Green、Blueの3色のライトが内蔵されており、この3色の組み合わせで白、黒、紫、橙などの色を作り出している。インクジェットプリンタは、CMYKすなわち、Cyan、Magenta、Yellow、Blackの4色を混ぜて様々な色を作り出す。これと同様に、恐ろしさ、未知性、災害規模の3因子の組み合わせでリスク・イメージが決まるというのである。そして最初の2因子、恐ろしさを横軸、未知性を縦軸として様々なハザードの因子得点の平均値をプロットしたグラフをリスク認知マップとして提案した。

このリスク認知マップを参考に、新型コロナウイルス感染症と代表的ないくつかのハザードのリスク・イメージを国別にプロットしたリスク認知マップを図3に示す。なお、スロヴィックの研究では恐ろしさ因子を10項目、未知性因子を5項目の問い（×ハザード数なので質問項目が多大となる）で集計分析しているが、回答者の負担軽減のため、ここでは簡略化して「恐ろしいと思いますか？（恐ろしさ）」「よく知っていると思いますか？（未知性、逆転項目）」の2つの問いで集計している。なお、LV5歩行者はレベル5（すべての環境で自動運転車両が運行している）の自動運転をハザードとして、歩行者目線で評価したリスク・イメージである。

図3より、新型コロナウイルスは日本人や英国人にとってはがん（悪性腫瘍）やエイズに匹敵するほど恐ろしく、原子力発電所より恐ろしいが、ドイツ人にとってはそれほどでもないようである。これは不安尺度の節（2節(1)）

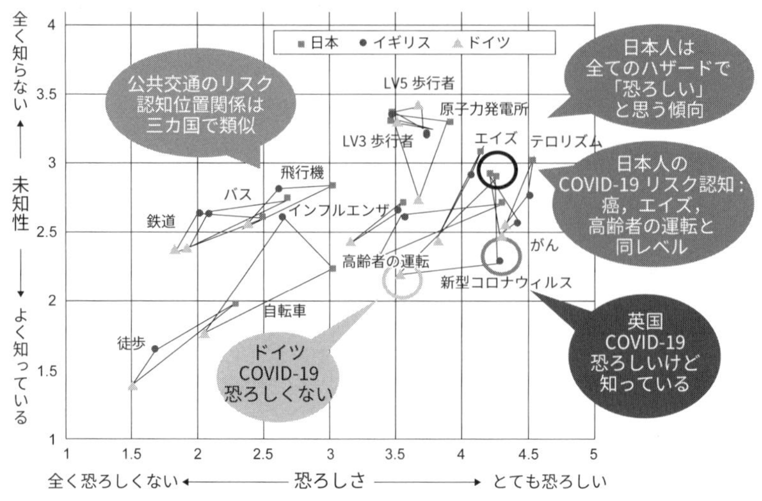

図３　リスク認知マップ　日英独の３カ国比較
出典：谷口（2020）

で述べたように、2020 年 5 月時点ではドイツの感染者数の第一波が収束しつつあった時期（図 1）であったことも関係しているのかもしれない。英国人の新型コロナに対するリスク認知は、恐ろしさは日本人と同程度であるが、未知性はドイツと同じくらいとなっている。いずれにせよ、図 1 で示したとおり、新規感染者数は日本の 5 ～ 8 倍、死者数は 2020 年 8 月時点で 10 ～ 45 倍であるにもかかわらず、英国人やドイツ人は日本人よりも新型コロナをこわがっていないことが示された。

さて、他のハザードとの比較においては、3 カ国の差異はあるものの、その傾向は一貫している。すなわち、ほぼすべてのハザードに対してドイツ人は恐ろしくないし、知っていると回答し、日本人はその逆で恐ろしくて知らない、英国人はドイツと日本の中間に位置しているという傾向がある。

リスク認知マップは、他のハザードとの相対的な位置関係をビジュアルに理解できるツールである。今後も、新型コロナのリスクを人々がどう捉えているか、捉えてきたか、その実態と変遷を辿る一助として、リスク認知マップを活用したい。ちなみにスロヴィックは恐ろしさと未知性を 2 軸として

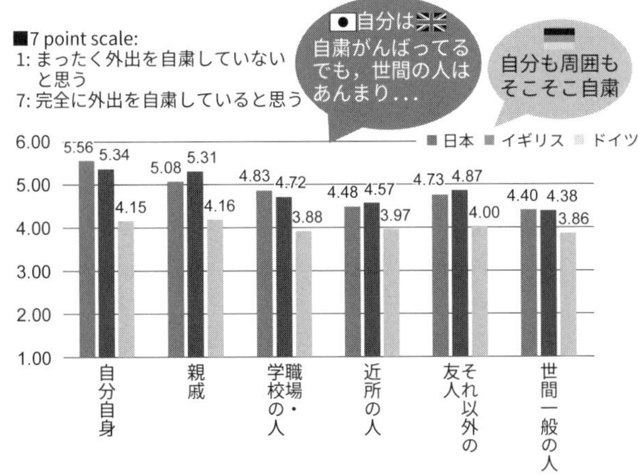

図４　COVID-19 蔓延初期の行動変容・衛生行動　日英独比較
出典：谷口（2020）

二次元のマップを作成したが、近年では制御可能性という因子が人々のリスク・イメージに与える影響が注目されている。今後、恐ろしさ、未知性、制御可能性の３軸で立体的なリスク認知マップを提示することで、リスク・イメージをより的確にビジュアル化できるかもしれない。

(3) 自分以外の人はどう対応している？　ちゃんと自粛してる？

様々な我慢を強いられる感染症対応において、人々は自分と自分以外の人の努力をどのように評価しているのであろうか。それを把握するために社会的ネットワークを計測する尺度を東京大学のジアンカルロス・パラディの既往研究（Parady et al. 2020）を参考に調査分析した結果を図４に示す。自分自身や親戚、職場・学校の人、近所の人など、社会的距離感の異なる主体がどの程度外出を自粛していると思うかを、７件法で問うた平均値を国別に示している。これより、日本人と英国人は（この点に関しては）類似したメンタリティを有しており、自分自身はがんばって自粛しているものの、世間の人はあまり自粛していないと評価している傾向が示された。一方でドイツ人

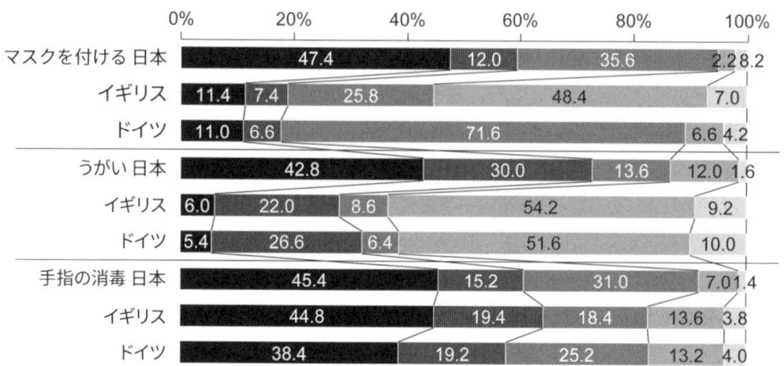

図５　COVID-19 蔓延初期の行動変容・衛生行動　日英独比較
出典：谷口（2020）

は、自分自身も周囲もそこそこ（7 件法の中間値は 4 点で、ドイツ人はどの項目でも平均値が 4 点に近い）に自粛していると認識している。これらは⑴⑵項で示された不安尺度。リスク認知とも整合し、一体的に解釈できる結果と思われる。

⑷ 人々の行動はどう変化した？　衛生行動と交通行動の変容

⑴～⑶ 項では主に心理指標の 3 カ国比較をみてきた。本節では「行動」の変容について、衛生行動と交通行動の観点から比較分析した結果を紹介する。

図５は新型コロナ蔓延初期の 2020 年 5 月時点における衛生行動の実施状況の日英独3 カ国比較結果である。マスクを付ける、うがいをする、手指消毒をするという 3 つの衛生行動について、以前から行っているが COVID-19 対応で頻度を増やした、依然と同レベルで行っている、以前は行っていないが COVID-19 対応で頻度を増やした、行っていない、どれに

も当てはまらない、の5つの選択肢に回答を要請した。

図5より、日本人はマスクやうがいを新型コロナ禍以前から実施していたことが示された。これは2月から3月、4月は花粉症の時期と重複しておりマスク着用者が例年も同様に多かったことに加え、日本は治安の観点からもマスク着用に抵抗がないというメンタリティが影響しているように思われる。ドイツにおいて「以前は行っていないがCOVID-19対応で頻度を増やした」が7割強を示しているのは、5月上旬に公共空間でのマスク着用が義務づけられたことに起因していると考えられる。この時点では英国のマスク着用率は著しく低いが（半数が非着用)、この後2020年6月初旬に英国運輸相が公共交通利用時のマスク着用の義務づけに言及し、6月15日から実施されるなどの対応がなされている。

なお、鼻と口を覆うマスクの着用は、欧米においては強盗などの犯罪予防の観点から忌避される傾向が強く、マスクをしていると警察に職務質問される、下手をすると逮捕される、という意識が社会通念として存在する。新型コロナウイルス蔓延初期はマスクをしているというだけで感染との関連を想起され、特にアジア系の女性が公共空間で攻撃される事件も起きた。このように2020年5月時点で英国やドイツでマスク着用率が低い、あるいは新たな生活習慣として受け入れた経緯は、日本とは異なっている。米国などでも、新型コロナ蔓延初期はマスクの感染予防効果に懐疑的な議論も散見されたが、その後、公共空間でのマスク着用が義務づけられるなど一定の評価が得られたといえる。

次に、目的別の交通行動頻度のコロナ禍前、後の変容を図6に示す。通勤通学目的の交通行動は当時のロックダウンの強度にも左右されるが、概ね3～6割減と大きく減っている。業務目的も同様であった。娯楽・レジャー目的の交通行動については、英国とドイツでは週1回以上あったものを半減させていた。一方、日本ではそもそも週0.3回と英独の1/3～1/4の頻度であった娯楽・レジャー目的の移動を、1/4に減らしている様が見て取れる。日本の新型コロナ対策は罰則を伴わない外出自粛の要請であったにもかかわらず、生真面目に娯楽・レジャー目的の交通行動を減らしている様が明らかになった。

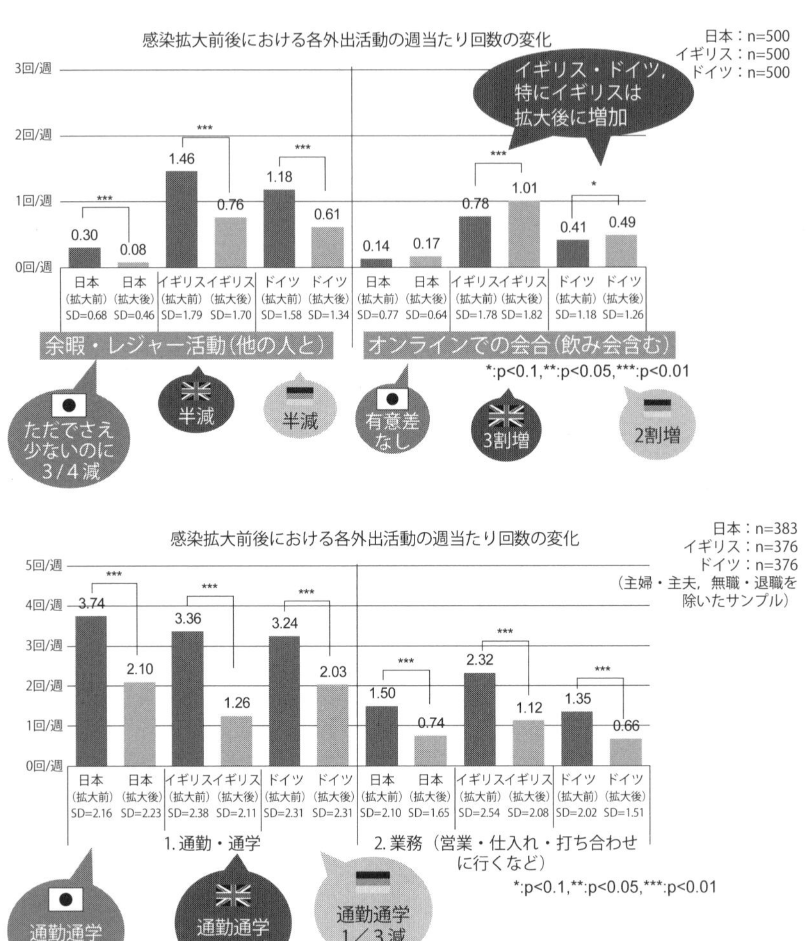

図6　COVID-19 蔓延初期の行動変容・衛生行動　日英独比較
出典：谷口（2020）

【コラム】ウィーン市交通局のエモーショナル・キャンペーン

オーストリアの首都ウィーンは、人口約190万人、モーツァルトゆかりの美しいまちである。鉄道、地下鉄、路面電車、バスなど充実した都市内公共交通のすべてをウィーン市の持ち株会社(Wiener Linien 株式会社：ウィーン市交通局)が保有し、1998年から現在に至るまで、公共交通利用促進の一環として「エモーショナル・キャンペーン」を実施している（谷口・藤井 2006)。このプロジェクトは「利用者に敬意を払い、かつ利便性を向上させる」というマーケティング・コンセプトの下、規制で人々の行動（マイカー利用）を制限するのではなく、人々が楽しくなる情報提供により、バスや電車に肯定的なイメージを醸成するというものである。たとえばTwitterに、マスクをして路面電車のつり革につかまる男性のスナップショットとともに「この人、知ってるよね？　ファン・デア・ベレン大統領が乗ってたよ！」との投稿（もちろん本物の大統領[1])や、ダイムラー（メルセデス)・ベンツ社の路線バスについて以下の対話を投稿[2)]するなど、ウィットとユーモアに富んだPRを続けているのである。

A：ウィーンでどうやって移動しているの？
B：運転手付きのメルセデスさ
A：お前、金持ちだな
B：ちがうよ、年間パスを持ってるんだよ

2020年5月11日、新型コロナ禍による外出禁止が緩和された際も、「ついにまた月曜日になりましたね！　本日より、地下鉄は平日の通常ダイヤで運行を再開しております。」というtweetが、【君が戻ってきてくれてうれしいよ！】という電光掲示板のメッセージ画像とともに投稿された。これは市民の間で話題となり、「『ママ、これは絶対にぼくにだよ！』と通学途中の息子が言ってい

1) https://twitter.com/wienerlinien/status/1272902312445587457（2022年2月12日最終閲覧）
2) https://twitter.com/wienerlinien/status/1272793922817966080（2022年2月12日最終閲覧）

ました。通学路が楽しくなりました。」「昨日の広告は本当にうれしかったです。今日もあったので教会にいるような気分になりました。」などの反響があったそうである。

簡単なメッセージではあるが、暗鬱な空気をやわらげる清涼剤のように作用し、人々の気分をポジティブに変えた好例といえよう。ウィーン市交通局のエモーショナル・キャンペーンに今後も注目していきたい。

（ウィーン工科大学交通研究所　柴山多佳児先生の情報提供より筆者が意訳）

3. 首都圏在住者の態度・行動変容

さて、前節では蔓延初期の日英独の比較分析結果を紹介した。筆者はこの3カ国比較の調査を行った2020年5月時点で、このパンデミックがこれほど長く続くとは予想していなかった。この長期にわたるパンデミックに対応してわが国でも様々な政策が実行された。人々の意識や行動はどのように変化したのであろうか。本節では、本章執筆時点（2021年9月）までの新規感染者数を概観するとともに、筆者らが首都圏在住者に実施した5回のWEBアンケート調査（同一人物に異なる時期の複数回、回答を要請するパネル調査）より、人々の態度・行動変容実態をいくつか紹介する（石橋ほか2021b; 谷口・石橋2021）。

(1) 新規感染者数の推移

改めて、2020年初頭から執筆時点までの全国の新規感染者数の推移を概観する。緊急事態宣言は現時点で4回出されている（図7）。新規感染者数の波は、図7より5回数えられる。波の高さは5回目が最も高く、4回目と3回目が同程度であり、2020年4月の1回目の波高は今となっては非常に低く見える。この波の高さと人々の態度・行動変容に関連があるのかを次項(2)(3)にて詳述する。

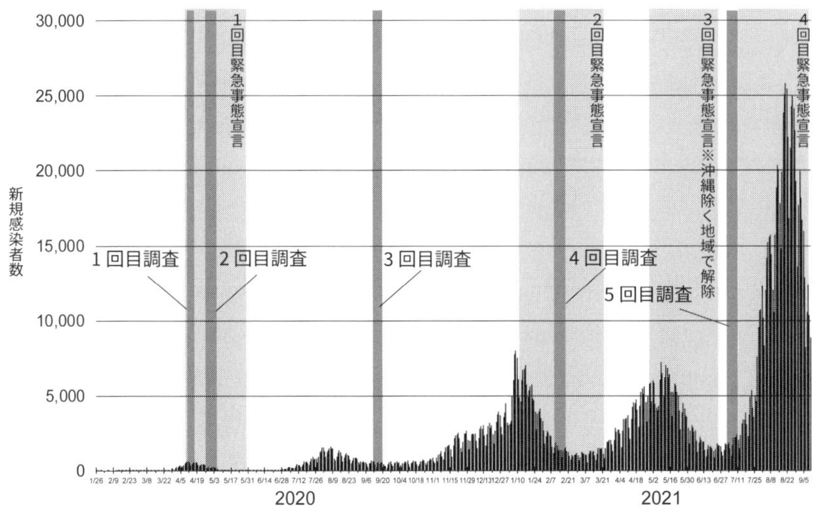

図7　COVID-19 新規感染者数の推移（全国）・緊急事態宣言と調査実施のタイミング

出典：石橋ほか（2021b）

(2) 不安の変化

(1)に述べた感染者数や政策などによる社会的変化は人々の「不安」にどのような影響を与えたのだろうか。2節(1)で詳述した特性不安、状態不安、社会的不安の時系列変化を図8に示す。図中の t1～t5 はそれぞれ調査を行ったタイミングを意味しており、図7に記載された1回目調査～5回目調査と対応している。具体的には以下のとおりである。

t1：1回目緊急事態宣言初期

t2：1回目緊急事態宣言中期（全国）

t3：感染拡大第二波時点（非緊急事態宣言時）

t4：2回目緊急事態宣言時

t5：3回目緊急事態宣言解除後

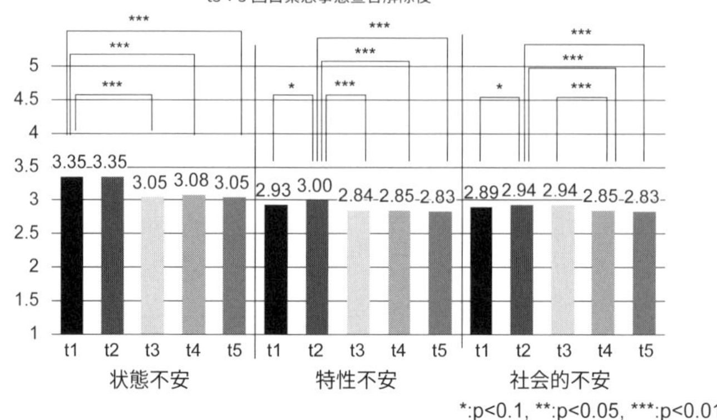

図8　首都圏住民の不安尺度の変化
出典：石橋ほか（2021b）

また図中の＊印は調査タイミング t1 〜t5 の間に統計的に有意な差があるかを検定した結果であり、＊の数が多いほど「確かな差がある」ことを意味している。

図8より、ある状況下で大きく変動するような状態としての不安を意味する「状態不安」は t1、t2 の蔓延初期に高く、t3 以降は同レベルになっている。1回目の緊急事態宣言初期の t1 と、t3、t4、t5 のそれぞれとに統計的に有意な差異が示された。また、性格特性として比較的一定しているとされる「特性不安」は t2 の1回目緊急事態宣言中期のみ、他のタイミングよりも高くなっている。対人面での不安である「社会的不安」は、t2 と t3 が高いことが示された。

これらの結果より、1回目の緊急事態宣言という状況に人々は不安を感じていたが、それ以降はそれほど不安を感じなくなったこと、これは図8に示す新規感染者数の増大とは無関係である様子が見て取れる。人々は新型コロナ禍という社会状況に徐々に慣れ不安を感じなくなったこと、そのことが慢心を招き、いわゆるオオカミ少年状態となって t3 以降の感染者数の増大

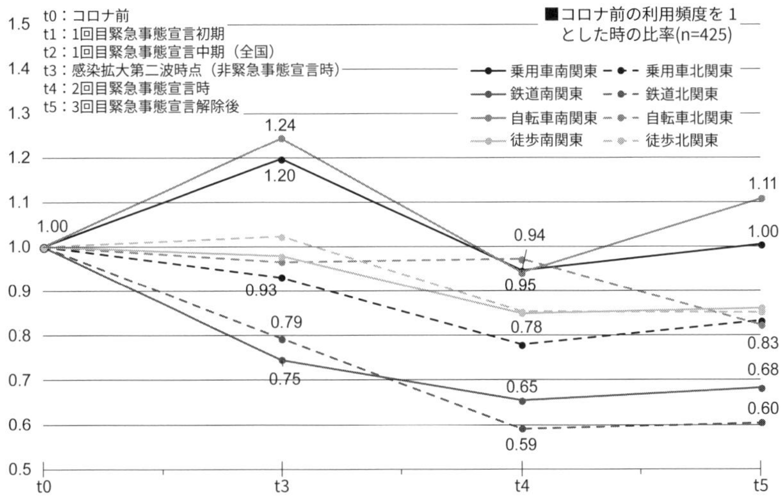

図９　コロナ前と３時点での交通手段利用頻度の変化率
出典：石橋ほか（2021b）

の遠因となった可能性がある。特性不安はt2で高いものの、それ以外のタイミングで有意な差は示されず、性格特性としての不安に大きな変化は見られないといえる。社会的不安についてはt2とt3が高いが、この時期、行政による外出や営業などの自粛要請に応じない個人や商店に対し、偏った正義感や嫉妬心・不安感から私的に取り締まりや攻撃を行う一般市民やその行為・風潮を指す俗語として「自粛警察」の存在が報道されていた。周囲の目が気になるのでマスクをする、外出を避けるという方もいたのではないだろうか。自粛警察は2021年1月の2回目緊急事態宣言では鳴りを潜めていたという報道もあり、t2～t3の時期に社会的不安が高い結果となったことは、リーズナブルであるといえよう。

(3) 交通機関別利用頻度の変化

次に、交通機関別利用頻度の変化を見てみよう。図９はコロナ前（t0）を1.0と基準化し、t3～t5の3時点での交通機関別利用頻度の比率の変化を示している。t0の頻度は、t1の調査時に「コロナ禍の前の移動」について回答を要請したデータを用いている。交通機関別の利用頻度は地域により大きな差異があることから、首都圏を南関東（東京都、埼玉県、千葉県、神奈川県）と北関東（栃木県、群馬県、茨城県）に分けて集計した。なお、t2、t3の調査ではこの質問項目を省いており、データが存在しない。また路線バスの利用回数は他の交通手段と比べ非常に少なく、かつ、バス利用者で通常考えられないイレギュラーな動きをするサンプルがあったため異常値として除外した。

図9より、t3時点の南関東では鉄道利用が25%減少し、乗用車が20%増加しており、プライベート空間で移動可能なクルマを選択する傾向が示されたが、その後t4、t5でクルマはt0時点の水準に戻っている、一方鉄道はt0と比べ32～35%少なく推移している。これはテレワークの進展で通勤通学需要が減少したことに起因している可能性が考えられる。

一方、北関東では、t3時点で自転車が24%増え、鉄道は21%減少するという都心地域とは少々異なる動きを見せた。乗用車はt3時点では7%の微減であったが、t4、t5では17～22%と減少幅が大きくなった。t4は冬季であったことから自転車が減っているが、t5でコロナ前のt0より11%増となっている。鉄道はt4、t5で4割減と大きく減ったまま推移していた。

これらより首都圏の鉄道利用はコロナ禍前に比べ3～4割減と大幅に減っていること、徒歩も15%ほど減少している一方、北関東3県では自転車利用が増えていた。北関東では公共交通網が脆弱であることもあり、自転車を活用しているのではないかと考えられる。一方、南関東の1都3県では移動そのものが減っており、通勤通学や業務での移動がオンラインに取って代わった可能性が考えられる。

交通渋滞や交通安全、環境、健康など過度なマイカー利用に起因する社会問題は多く、マイカー利用は抑制すべきと筆者は考えるが、その代替手段となり得る公共交通網がコロナ禍で大打撃を受けている。テレワークにより人々の外出行動がコロナ禍前に戻ることは期待できないことから、特に地方鉄道や地方のバス路線をどのように維持・発展させていくか、用地や路線を公が所有し、車両や運行を民が行う「上下分離」、ガスや水道・電気と同様に使用量に依らない「公共交通の基本料金」を徴収するなど、何らかの方途を皆で考え、実行していく必要があると考える。

【コラム】自粛警察ってどんな人？

2020年7月の晴れた朝、いつものように目黒川沿いをジョギングしていたところ、見知らぬ高齢男性に手招きで呼び止められ、詰問された。「どうしてマスクをしないんだ?!」——驚いて「すみません、マスクで顔のアトピーが悪化して今はマスクできないんです……」と荒れた顎を見せると、その男性は「ふん、それならしかたないな」と言って去って行った。帰宅して息子に顛末を話したところ、「殴られたりしなかっただけよかったじゃん」と慰めてくれた。確かに、殴られたり刺されたりする可能性もあったわけで——この経験がトラウマ化し、街路の人口密度が著しく低い早朝でも人目を気にしてマスクをつけるようになった。感染を恐れてではなく、周囲の目が怖かったのである。

「いわゆる『自粛警察』って、どんな人？」というリサーチ・クエスチョンを検証するためのWEBアンケート調査を行ったのは2020年9月であった（t3）。南関東（東京・埼玉・千葉・神奈川）と北関東（栃木・群馬・茨城）在住の20～60代の男女を対象とし「自粛警察度※」を計測した。なお、この尺度は潜在的な自粛警察度を測定するものであり、実際に口頭で注意したり、張り紙をする「行動」を問うたものではない。

この潜在的自粛警察度の高い人はどのような人かを探るため、性別や年代、居住地域、その他の心理尺度を独立変数とした重回帰分析を行ったところ、図のような結果が得られた。すなわち、「私は外出自粛をがんばっている」「新型コロナウィルスが怖い」「職場の人に外出自粛を期待されている」「今、不安で神経質になっている」「自分以外の世の輩は外出自粛をしていない」と思っているほど、また高齢で北関東に在住している人ほど、潜在的自粛警察度が高かったのである。つまり、まじめで周囲の期待に応えようとしており、新型コロナが怖くて不安になっている人ほど、自粛しない人に対して「だめじゃないか！」と思っていたのである。

筆者の勝手なステレオタイプ的思い込みでは、高齢男性の自粛警察度が高いのではと予想していたが、性別ダミーは統計的有意とはならなかった。この尺度は潜在的自粛警察度であり、実際に行動する傾向は女性よりも男性の方が高いのかもしれない。そして何より、筆者は恥ずかしながら自粛警察度の高い人

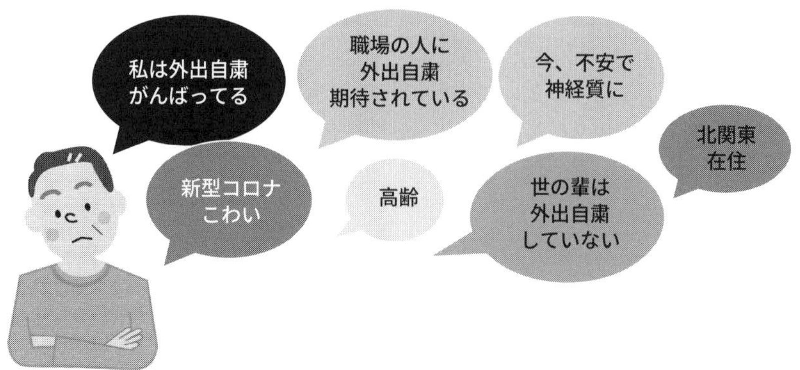

自粛警察って、こんな人――従属変数 自粛警察度（10個の設問の平均値）
出典：筆者作成

の気持ちなど考えたこともなかったが、この分析結果から「生真面目で感染症リスクを恐れ不安になっているからこそ、周囲の行動を正そうとしている」のだと理解したことで、先のトラウマから開放された自分を発見した。昨今、いわゆる自粛警察を揶揄する言説が流布しているが、重症化リスクが高くまじめで不安がちな高齢者の気持ちを考えると、自粛警察に対しても少しは寛容になれるのではなかろうか（もちろん、マスクをしない人にもいろいろな事情があることを理解してもらいたい）。お互いの言い分を冷静に聞いて相互理解に努めることの重要性を改めて感じた。

ところで、先日ドイツの共同研究者に「自粛警察って何ですか？」と真顔で聞かれた。日本の状況を説明したところ、ドイツではむしろ逆で、義務化されたマスク着用に抗議するデモが起きて逮捕者が出たり、外出制限を含む都市ロックダウンなどの政策に「ドイツ憲法の基本的権利である自由を侵害している」等の強硬な反対論があるのだそうだ。また、ドイツでは、学校や幼稚園の再開に慎重な著名ウイルス学者に殺害予告がなされた一方、日本では「マスクをしていればソーシャルディスタンスを無理にとる必要はない。さらに言えばマスクをしていなくても黙っていれば問題ないです」との言説（つまり、過剰な対策は不要）を表明したウイルス学者に殺害予告があったとのことで、文化差（？）

と言ってよいのかわからないが、「人々が大切にしていること」にはちがいがありそうである。ドイツでは個人の尊厳・自由が尊重される一方、日本では体制・社会通念に従い波風立てないことが重視されるとの一般論は、少なくともこの問題では当てはまるかもしれない。

ちなみに筆者は、新型コロナ蔓延初期は「皆がマスクしているなら安全だろうから、自分はマスクしない」派であったが、今は周囲の目という同調圧力に負け「外出時は必ずマスクをつける」生活に疲れ切っている典型的な日本人である。

※尺度例：「プライベートでお出かけしている人」を見ると「だめじゃないか！」と思いますか？／「マスクをしないで外出している人」を見ると「だめじゃないか！」と思いますか、等。「1. 全くそう思わない、7. とてもそう思う」を尺度両端の定義とする7件法。

おわりに――ディスカッション・クエスチョン

本章冒頭にも述べたように、本章は新型コロナで起きた人々の態度・行動変容の一端を「記述」したにすぎない。with コロナ、after コロナ、post コロナに向けた筆者の研究分野の大きなディスカッション・クエスチョンとしては、たとえば以下が挙げられる。

⑴パンデミックのみならず様々な災禍にレジリエントな国、まちとはどのようなものか？
⑵「災禍にレジリエント」であることと「住みよい」「豊かな」「幸せな」国、まちであることをどう両立させるか？
⑶諸外国は⑴⑵にどう対峙し、どういう方向に進もうとしているのか？
⑷地域という単位で、人々の移動がどうあるべきか、モビリティをどうデザインしマネジメントしていくべきか？

これらは大きな問いであり、ダイレクトに答えることは難しいが、よりよい解に近づけるような研究を、今後も進めていきたい。

◘文 献

石川利江・佐々木和義・福井至 1992「社会的不安尺度 FNE・SADS の日本版標準化の試み」『行動療法研究』18(1): 10-17.

石橋拓海・谷口綾子・Giancarlos Parady・髙見淳史 2021a「COVID-19 蔓延初期の行動変容と要因の日英独三カ国比較」『第 63 回土木計画学研究・講演集（CD-ROM）』

――. 2021b「COVID-19 による首都圏市民の行動変容と心理状態の時系列変化――2020 年 4 月～2021 年 7 月の 5 時点調査より」『第 64 回土木計画学研究・講演集 (CD-ROM)』

岩本美江子・百々栄徳・米田純子・石居房子・後藤博・上田洋一・森江堯子 1989「状態――特性不安尺度（STAI）の検討およびその騒音ストレスへの応用に関する研究」『日本衛生学雑誌』43(6): 1116-1123.

谷口綾子 2020「COVID-19 対応行動 日英独アンケート調査 結果速報――リスク認知，不安などに着目して」(日本モビリティ・マネジメント会議緊急会議：交通崩壊を防げ！――新型コロナから暮らしと街を守るには？、2020 年 6 月 7 日開催)

谷口綾子・石橋拓海 2021「政府の COVID-19 対策に対する首都圏住民の評価」『第 64 回土木計画学研究・講演集（CD-ROM）』

谷口綾子・藤井聡 2006「公共交通利用促進のための“エモーショナル”なマーケティング戦略――ウィーン市交通局のモビリティ・マネジメント」『土木計画学研究・講演集（CD-ROM）』Vol.33.

遠山尚孝・千葉良雄・末広晃二 1976「不安感情――特性尺度（STAI）に関する研究」『日本心理学会第 40 回発表論文集』891-892.

Parady, T. G., Taniguchi, A. and Takami, K., 2020, “Travel Behavior Changes during to the COVID-19 Pandemic in Japan: Analyzing the Effects of Risk Perception and Social Influence on Going-Out Self-Restriction,” *Transportation Research Interdisciplinary Perspectives* 7.

Slovic, P., 1987, “Perception of Risk” *Science* 236(4799): 280-285.

Spielberger, C. D. (ed.), 1966, *Anxiety and Behavior,* Academic Press.

Watoson, D. and Friend, R., 1969, “Measurement of Social-Evaluative Anxiety,” *Journal of Consulting and Clinical Psychology* 33(4): 448-457.

IV.

新型コロナと芸術

9 ディスタンス・アートの創作手法分析

宮本道人

はじめに

新型コロナウイルス感染症の流行は、アートやフィクションの制作環境・受容環境を大幅に変化させた。特に大きく変化したのは、「ディスタンス」と関連した要因である。人と人とが現実空間において近い範囲にいると、新型コロナウイルスの感染リスクが高まるため、一定の距離を取る必要がある。

本章では、このような状況にあって存在感を増した「ディスタンスと関係するアートやフィクション」を「ディスタンス・アート」と名付け、その形式・鑑賞・題材を分析することで、新しい文化的価値を探った。なお、ここでは「アート」という言葉を、文学、ゲーム、映像など何かしら体験可能なあらゆる芸術全般をかなり広く包含するものとして、広義の意味で用いている。

本章で挙げてゆくディスタンス・アートの特徴は、すべてのディスタンス・アートに共通するものというわけではなく、うち一つでも満たしていたらディスタンス・アートとカテゴライズしてもよいという方針のもとにピックアップされている。また、一つの作品のなかに複数の特徴が存在する場合もある。それらの特徴は、コロナ禍以前に作られた作品にも、もちろん存在する。そのため本章では、過去の作品から現在へ至る系譜を簡単に示すことも意識した。

ディスタンス・アートには日々新しい作品が現れているが、特に日本で勢いよく様々な試みがなされたのは、(これには筆者の主観も入るが) 報道で在宅が推奨されるようになった最初の時期である。日本で初めて COVID-19

感染者が確認されたのが2020年1月15日、初めて感染者数が100人を超えたと報道されたのが2020年3月27日、初めて緊急事態宣言が行われたのが2020年4月7日（東京、神奈川、埼玉、千葉、大阪、兵庫、福岡の7都府県が対象）であり、この頃に挑戦的な試みが特に増加した。しばらくすると勢いは落ち、それほどディスタンス・アート的な作品の数は多くはなくなったため、本章では主に2020年4月前後に発表された作品を取り上げて紹介を行う。

数カ月でここまで芸術の方法論が変異したというのは驚くべきことであり、歴史にも類を見ないのではないだろうか。さらにこの急激な変化は、数年経った後に振り返ることが困難になるかもしれない。というのも、本章で取り上げている作品のなかには、すでに鑑賞不可能になっているものが複数あったり、当時の受容のされ方がわかりにくくなっているものもあるのだ。これはディスタンス・アートの形式・鑑賞・題材そのものが持つ性質に起因する部分も大きい。詳細は各論のなかで説明してゆくが、ディスタンス・アートは既存の芸術の型にはまりにくく、作り手と受け手の枠を超えやすく、かつ時代性を反映しやすい。以上のような性質から、ディスタンス・アートが社会にどう必要とされ、どう受容されたのかは、本論のように現在進行形で記録しておくべきなのである。

さて、前置きはこれくらいにとどめ、ここから簡単に全体の構成を紹介しよう。本章は「はじめに」「おわりに」を除いて3つの節から成る。まず第1節でディスタンス・アートの形式を、第2節で鑑賞を、第3節で題材を論じる。この3つの性質はそれぞれ重なる部分もあるが、整理のために便宜的に分けている。各節ではそれぞれ5つずつ代表的な特徴を取り上げ、例となる作品を紹介する。そして、以上3つの要素をふまえ、「おわりに」としてディスタンス・アートの未来について考察する。

それではいよいよ、論に入っていこう。

1. ディスタンス・アートの形式

ディスタンス・アートには様々な形式が存在する。その形式面での特徴には、たとえば、以下の5つが挙げられる。

⑴ 画面分割や複数画面
⑵ PC画面や通話を見せる
⑶ 映像を繋いでいく
⑷ WEBカメラ内での表現
⑸ 自宅の使用

それぞれを順に考察してゆく。

⑴ 画面分割や複数画面

画面を分割して見せたり、複数画面を並べる形式である。いくつか例を挙げる。

まず、「lyrical school REMOTE FREE LIVE vol.1」。この作品はガールズラップユニットのlyrical schoolが2020年4月10日（以下、特に記述がない限り、日付はすべて2020年のものを指すこととする）にYouTubeに投稿した動画である。各メンバーが別々にスマホで長回し撮影してパフォーマンスを行い、それぞれの動画を画面上に並べる形で、擬似的にライブを成立させる手法で制作されている（図1）。Zoom等のリモート通話ツールではタイムラグがまだまだ酷いため、このように、撮影の際には同時性にはこだわらず、後で各人が撮影したものをつなげるという手法が有効である。リモートセッションの文化は過去にも様々なものが作られてきたが、この長さを別々に撮影して並べたものは、過去に類を見ないのではないかと思われる。

音楽動画としては、ファンクバンドの在日ファンクが4月7日にYouTubeに投稿した「在日ファンク（在宅ファンク）／『はやりやまい』[1)]」の画面構成も興味深かった。左右には横長動画が並び、真ん中にボーカルの浜野謙太の縦長動画が置かれている。ふつう、リモートセッションの形式だと、各人が狭い場所で固定カメラを使って撮影を行い、それを並べることが多い

1） https://youtu.be/zhW_co0atqQ

図 1　lyrical school REMOTE FREE LIVE vol.1 のワンシーン
出典：https://youtu.be/li6sstmQLb8

ため、画面の印象が平面的で動きに欠けがちになる。それをこの動画では、浜野がそのカメラを自ら持って動かしながらダンスを見せることで、視聴者に空間の広がりを感じさせるものに仕上げていた。

また、アイドルグループのでんぱ組 .inc が 4 月 15 日に YouTube に投稿した、「でんぱ組 .inc テレワーク MV『なんと！世界公認 引きこもり！』[2)]」も重要な作品である。画面のはめ込みの方法が単に縦型動画を並べたものではなく、たとえば画面上に映るスマホのなかにメンバーの顔が映るなど、様々な工夫がされている。メンバーやクリエイターがテレワークで作品を制作していった過程が Twitter で追えたのも斬新であった。

ほかに、新日本フィルなどのオーケストラも同様のリモート撮影の取り組みを行っていたり、同様の試みを挙げてゆくときりがない。

これらの流れを考える上では「スプリットスクリーン」という技法が参考になる。その名の通り、画面分割を映像に用いる手法で、古くから様々な映画で用いられてきた。最初期の例では、1903 年のエドウィン・S･ポーター

2）https://youtu.be/lAfPuUaSZQc

監督による映画『アメリカ消防士の生活』において、主人公が想像を行う表現として、主人公自身と、想像のなかの人間のシーンとが画面上に並べられていた。

また、そもそもコロナ禍が始まる以前にも、ミュージックビデオに画面分割を用いた例はもちろんある。たとえば、2009年にロックバンドのSOURがYouTubeに投稿した「SOUR '日々の音色（Hibi no neiro）'[3)]」などが挙げられる。この動画では、隣り合った分割画面がリンクするように演者がふざけるなど、画面分割を活かした遊びが追求されていた。

複数の画面が並ぶという意味では、古くはナム・ジュン・パイクの作品群から得られる示唆もあるだろう。ナム・ジュン・パイクは1960年代から「ビデオ・アート」という芸術ジャンルを創り出し、複数のTVモニターに映像を映し出して並べるような作品を多数発表してきた。

(2) PC画面や通話を見せる

PC画面やビデオ通話でのインカメラ動画や画面共有を見せて、それを作品とする形式である。

興味深い取り組みに、株式会社SCRAP執行役員のきださおりが4月10日に行った配信イベント「『のぞきみカフェ』YouTube支店[4)]」がある。このイベントは、ビデオ通話でのやり取りの中で謎が現れ、それを観客が自分で考え、謎を解いていくことができる作りになっていた。

ほかに、劇団ノーミーツという、コロナ禍の4月9日に立ち上げられたフルリモート劇団が結成日にTwitterに投稿した「ZOOM飲み会してたら怪奇現象起きた…[5)]」の動画は、リモート通話している人々が次々に怪奇現象に巻き込まれる様子を、特殊な道具などを使わずにシンプルな方法で作り出し、2分19秒と短いながらも話題となった。

また、漫才の業界では、お笑いコンビのジャルジャルが4月8日に

3） https://youtu.be/WfBlUQguvyw
4） https://note.com/opeke/n/n61194ea0f965
5） https://twitter.com/gekidan_nomeets/status/1248228716066439169?s=20

YouTubeに投稿した「『リモート漫才する奴』[6]」は、リモートでいち早く漫才を行った例である。リズムが重要な芸を披露し、そのリモートによるラグをネタ化したり、通話画面が固まるフリをする「固まってるトラップ」など、ビデオ通話の問題点を笑いに変える手法が特徴的であった。その後もジャルジャルは4月24日に「ハズレの先生にリモート授業される奴[7]」という、学校のリモート授業を模して沢山のリモート通話者を登場させる漫才を行ったり、継続的にYouTubeにリモート通話漫才を投稿し続け、リモートならではの笑いの可能性を追求している。

ウェブ通話の特性を活かしたゲームも発案されている。たとえば、リモート通話をしている際に行えるようなゲームを考案する「テレゲーム研究所」というクリエイター集団が、やはり4月に登場した。特に文化的な側面で興味深かったものの一つが「ザ・ミュート」というゲームである。4月29日にTwitterに動画が投稿されたが、このゲームの動画はTwitterで少し問題視されたことを受け、すぐに投稿者が削除してしまったため、現在は見ることができない[8]。どのようなゲームだったかというと、Zoomを使った通話の間に、いつの間にか少しずつメンバーが自分の声をミュートにしていき、最後まで気づかず話していた者が負けというゲームである。このゲームは、ゲーム自体の性質の是非はともかく、使い方によってはZoomでの「いじめ」が有り得るという点を浮き彫りにしたのが非常に印象的であった（そして、それによって、これは「いじめ」に繋がるのではないかといったような批判も起きてしまったのだった）。

過去の作品をZoom化するということも行われた。たとえば、映像作家の森翔太が4月28日にTwitterに投稿した動画[9]では、「Zoom東京物語」と題し、1953年の小津安二郎監督の映画『東京物語』のワンシーンをZoomのインターフェースで映し出し、登場人物がリモート通話をしているように見せるということが行われていた。

6） https://youtu.be/l3fxx1lKFno

7） https://youtu.be/lYj-w-k3keg

8） https://twitter.com/tansanasa/status/1255741266253373440

9） https://twitter.com/shotam0ri/status/1255102344150216707

以上のような、PCやスマホでの通話を作品化するという手法は、これもまたコロナ禍以前に、当然存在する。

特筆すべき作品として、2018年のアニーシュ・チャガンティ監督の映画『search／サーチ』が挙げられる。これは、失踪した娘を探す父親が、様々な人とビデオ通話を行う様子が、全編モニター上で展開される作品である。この映画の製作者ティムール・ベクマンベトフはこのような手法を「スクリーンライフ」という名前で提案しており、今後も本手法を用いた作品制作を行うようだ。

また、かつて2016年にYouTubeに投稿され、タテ型スマホに最適化されたミュージックビデオとして話題を呼んだ「RUN and RUN / lyrical school【MV for Smartphone】[10)]」も、コロナ禍以前にディスタンス・アートを先取りしていた作品として重要である（そして、先に名前を挙げたガールズラップユニットのlyrical schoolの動画でもある）。これはSNSを用いたやり取りを模した、非常に斬新なメタフィクション的作品であった。

コロナ禍以前のゲームでは、2015年のSam Barlow開発『Her Story』が、PC画面が利用された作品の極北である。こちらはビデオ通話を行うわけではないが、とあるビデオを見ながら、メール等を行う様子が作品になっている（ミステリ作品であり、ネタバレを避けるために詳述は省く）。

(3) 映像を繋いでいく

映像を順に繋いでいく形式である。

この手法では、インドで作られ、sonytvが4月7日にTwitterに投稿した約4分半のショートフィルム「Family[11)]」が重要な作品である。これはインド映画のスターたちが各々の家で撮影したものをつなぎ合わせて作った動画であり、インドのモディ首相もTwitterでこの動画を見ることを薦めていた。撮影自体は個々人が別々の場所で行っているのだが、登場人物が同じ空間に一緒にいるように見せるべく、簡単な工夫がなされているのが特徴である。

10） https://youtu.be/g57fYTgVbDk
11） https://twitter.com/SonyTV/status/1247187306764619779

また、4月15日にYouTubeに投稿された動画「The Great Pandemic Toilet Paper Toss[12)]」も印象的であった。これは、世界各地の人が別の地域にいる人に、時空を超えてトイレットペーパーをパスしてゆく動画である。オーストラリアの映画製作者カイセイ・フォーマンがウェブ上で参加者を募り、一人一人がトイレットペーパーをカメラ外にパスする瞬間を撮ったものを集めて順に繋げることで、あたかも1つのトイレットペーパーの束がずっと様々な国を渡っているかのようにも感じられる映像が作り上げられている。ここからわかるように、グローバルな作品制作がしやすい点にも注目すべきだろう。

このような手法の理解には、「モンタージュ」の概念が役立つかもしれない。これは映画というメディアが生まれた初期から用いられるようになった、複数の映像を繋いで、連続したシーンを作るという、映画の基本となる技法である。

⑷ WEBカメラ内での表現

自宅のWEBカメラを用いた表現のなかで工夫を凝らす形式である。

コロナ禍では自宅の固定WEBカメラを用いることが非常に増えたが、これを用いて作品を作ろうと考えると、この固定カメラ内で演出に工夫を行う必要が生じてくる。そこで、実際のカメラ内に映るもので自己表現を行ったり、顔を覆うマスクを自己表現に用いたりするものも出てきたほか、背景変更を用いた表現も多様化してきた。なお、ここにはWEBカメラだけでなく、スマホのインカメ固有の表現なども含まれる。

ユニークな取り組みに、劇団テレワーク（企画・制作：CHOCOLATE Inc.）によって4月14日にYouTubeで生配信された動画「即興公演 #02「背景でがんばって臨場感出す演劇」【劇団テレワーク】[13)]」がある。この劇団はすべてをリモートで行うべく、4月5日に旗揚げされ、この動画ではZoomで背景が変更できることを活かし、様々なシチュエーションで演劇を行うなど、

12） https://youtu.be/H224D9Q-8Ck
13） https://youtu.be/SQRCof3v7sk

斬新な方法論をいち早く試していた。

このリモート通話の背景、そして被写体自体も、コロナ禍ではキャンバスのように扱われることが増えた。写真・動画をメインにしたSNSのInstagramでは、インスタライブと呼ばれる動画配信機能をユーザーが使うときに、映像に加工が施せるフィルターを適用できるようにしていたが、そのようなリアルタイムのエフェクトが以前にも増して用いられることが多くなったのである。たとえば、Zoomなどのストリーム配信にエフェクトを掛けられるソフト「Memix」など、様々な試みが生まれていた。

背景を固定した上でカメラを動かすという荒業もあり、先に名前を挙げた「テレゲーム研究所」は、音楽に合わせてカメラの方を動かす「Zoomダンス」の提案を含む動画「遠隔ボドゲとテレゲーム！　お試しZoomゲームフェス vol.0.1[14)]」を4月18日にYouTubeに投稿していた。

(5) 自宅の使用

在宅を強いられている状況を逆手に取り、家にあるもので作品を作るということを全面に出した形式である。

ラップグループのSUSHIBOYSが4月9日にYouTubeに投稿したMV「超おうち時間　SUSHIBOYS[15)]」は、家にあるものだけを用いて音楽制作・映像制作を行った好例である。この制作過程を記録した映像「次に出す曲の制作過程映像－SUSHIBOYS[16)]」も、4月7日にYouTubeに投稿されているが、そこではフライパンやはさみなどの音をサンプリングしている様子を見ることができる。

デヴィッド・F・サンドバーグ監督とその妻で女優のロッタ・ロステンが制作し、4月3日にYouTubeに投稿したショートムービー「Shadowed－Short Horror[17)]」は、自宅で撮影され、光と影を効果的に用いるだけで、非常に恐ろしく美しいホラー映像を作り上げることに成功していた。

14） https://twitter.com/tansanasa/status/1251442816561164288
15） https://youtu.be/fFY7pVliqto
16） https://youtu.be/fR7LTmFZ0UQ
17） https://youtu.be/8yu5ymbIjaY

また、集団制作においては、自宅の仕様に伴い、俳優自身による自主的演出の比重が上がる。たとえば、行定勲監督が作成し、4月24日にYouTubeに投稿されたショートムービー「きょうのできごと a day in the home」を例に取ろう[18]。このムービーでは有名な俳優たちが自宅で演技をしているのだが、俳優個人個人が自宅を用いるという珍しい事態が起こっている。かつ、監督がその場でカットをして指示を出して後で繋ぎ合わすといったことも難しいため、俳優が自ら演出を考えて動くことが重要になっている。そして、このような条件下の実写映画においては、資本は内容に大きな差をもたらさないことも多い。あまり有名でない監督・俳優も、有名な監督・俳優も、使える条件にはそれほど差がない（とはいえ、WEBカメラやインターネット回線の値段、自宅の部屋の多さ、家族の有無などは差を生むことには注意すべきである）。

このような演出を考える際は、映画史における即興演劇や素人の起用などの歴史をたどり、現在の演出と比較してみるのも面白いであろう。しかし、それは本論の域を超えるため、どなたか詳しい方の論を待つことにしたい。

2. ディスタンス・アートの鑑賞

ディスタンス・アートは、鑑賞方法にも変化が出てきている。「鑑賞」といっても、双方向性が大きな特徴であることがここでの主眼であり、その主な特徴として、たとえば、以下の5つが挙げられる。

⑴ 作品に対して指示を出しながら鑑賞する
⑵ 自らの作品を重ねる
⑶ 制作者に次の作品を作ることを指示される
⑷ 鑑賞している人物を鑑賞する
⑸ 様々な場所から鑑賞する

18） YouTubeでの配信は6月4日で終了。詳しくは、リアルサウンド映画部編集部（2020）参照。

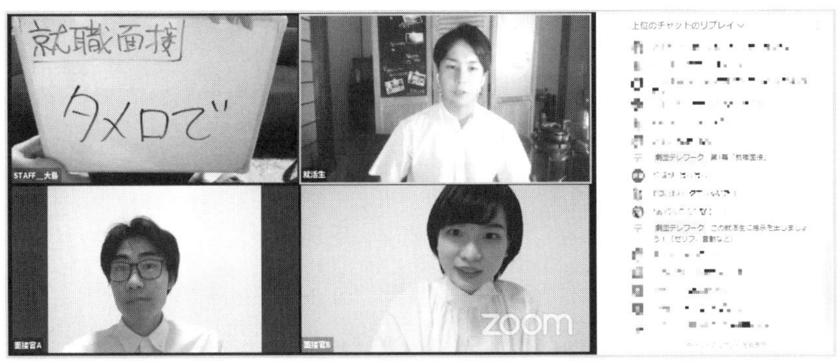

図２　劇団テレワークによる、視聴者のコメントに従って進める演劇
右のチャット欄に書かれたコメントをスタッフが拾い、演者に指示を出す形式である。なお、プライバシー保護のため一部にモザイクを施した。
出典：https://youtu.be/0k6LAuJByRY

それぞれを順に考察してゆく。

(1) 作品に対して指示を出しながら鑑賞する

ただ漫然と作品を見たり聞いたりするのではなく、どのように作品を作り上げるか意見を言いながら鑑賞する方法である。

たとえば、先にも名前を挙げた劇団テレワークが４月 12 日に YouTube で生配信した「即興公演 #01『視聴者全員で演出する演劇』【劇団テレワーク】」[19]は、前衛的な企画であった。YouTube のチャット欄で視聴者のコメントを拾い、リアルタイムにその場で演技を進めていくスタイルを取っていたのである（図２）。劇団テレワークは先にも名を挙げた劇団であるが、この配信の後も、リモート通話ツールや YouTube のチャット欄などを用いて何ができるかを様々な手法で試していた非常に先鋭的な集団であった。このように、視聴者の干渉を組み込むことを前提にした設計が、作品制作時に重要なこととなっている場合もある。

19）　https://youtu.be/0k6LAuJByRY

⑵ 自らの作品を重ねる

他人が公開した動画に対し、自分の動画を横に並べるように編集し、セッションしているように見せて楽しむ方法である。

日本でのムーブメントとして、シンガーソングライターで俳優の星野源が4月5日にYouTubeに投稿した「星野源 – うちで踊ろう Dancing On The Inside」[20]への反響があった。星野は自身の動画の概要欄で、そのようなコラボレーションを推奨した結果、実際に様々な著名アーティストが、自らの動画を重ねて発表することを行った。

勝手なコラボレーション動画のなかでは、星野源の動画を上下で切って勝手に下半分を別の動画に置き換えるという斜め上の事例も登場した。たとえば、エナツの祟り・翌桧ダンク冬雪【あすなろだんくふゆゆき】@jt_dunkさんが5月1日にTwitterに投稿した、「豆腐の容器を開けるのに悪戦苦闘する星野源さん」[21]の動画では、ギターを弾く星野源の姿が肩から上だけ切り取られ、その下側に、星野源と同じ服を着て豆腐の容器を開ける胴体の動画を組み合わせることで、星野源が歌いながら豆腐の容器を開けるのに失敗したかのような、コミカルな編集が行われていた。

当時の首相、安倍晋三も星野源動画のムーブメントに乗り、4月12日の自らの動画を横に並べてツイートを行ったことも話題になった（図2）。そして、これが炎上したことも特筆に値する[22]。

本論は、この動画の「是非」については判断を行わない。しかし、ディスタンス・アートを論じる文脈でこれをみるとすると、一つのポイントとして、この動画では画面の左右がリンク・同期していないことが挙げられる。もちろん星野源の動画には、それまでも岡崎体育や大泉洋など「リンクがうまくできなかった」ことを笑いに変えた手法でのコラボも存在した。しかし、そこにはあくまで「リンク」の存在が前提となっていた。この安倍晋三の動画には、そもそも最初から「リンク」がまったく無視され、片側ずつを切り分

20） https://youtu.be/b4DeMn_TtF4

21） https://twitter.com/jt_dunk/status/1256024358587207680

22） 何が炎上の原因だったのかについては、一つの考えとして、KX（2020）などが参考になる。

けても何も問題ないというのが、ある種の奇妙さを生んでいる原因の一つであろう。

また、さらにこの安倍晋三動画から派生したパロディ動画として、ピアニストでYouTuberのゆゆうたが4月13日にYouTubeに投稿した動画「安倍首相にチャンネルを変えられる男【ゆゆうた】[23)]」や、タイまあるがTwitterに4月14日に投稿した動画「遠隔操作[24)]」などがある。いずれも、安倍晋三が動画上でTVのリモコンを操作する瞬間がネタにされており、前者はピアノを弾いているゆゆうたの動画をまるでTVチャンネル変更のように星野源に切り替えたと見せる編集が、後者は安倍晋三がTVリモコンを用いてリモートで火薬を爆発させたように見せる編集がなされていた。

ここで星野源や安倍元首相の話はいったん終わりにして、以下、少し別の話題を付け加えたい。このような文化はある種、ヒップホップに始まり、様々なジャンルに広がった「サンプリング」文化の新しい形とも言えるだろう。サンプリングとは、既存の楽曲の一部を利用して別の曲を作り出すことである[25)]。

実際、ヒップホップがこの状況下でどのようなムーブメントを生んだかという例を少し挙げておく。ほかの人の作った音に自分の音を重ねるムーブメントの一つに、「ビートジャック」というものがある（これは、ここまでで言及してきた、自分の動画を横に並べて出す方式ではない）。コロナ禍で最も話題になったものでは「Tokyo Drift Freestyle」という、TERIYAKI BOYZの楽曲「TOKYO DRIFT」をビートジャックする動画の作成が世界中で流行した[26)]。日本ではたとえば、ここまで二度言及してきたガールズラップユニットのlyrical schoolが4月25日にYouTube動画「lyrical school / TOKYO DRIFT FREESTYLE[27)]」を投稿している。

23）現在は削除されており、閲覧することができない。

24）https://twitter.com/inkya_fit/status/1249975400601546753

25）サンプリングについては、たとえばbemee（2017）などに詳しい。

26）このブームに関しては、Zyの「サブカルチャー」ってなんだっけ（2020）に詳しい。

27）https://youtu.be/FS3bUFvHnks

リリスクの作詞さん方が
#うたつなぎ していているの素敵だな
と思ってたらまさかの自分に回ってきた 泉水さん
@masacherry
ありがとうございます‼

アコギは実の
お兄ちゃんが弾いてくれてます

とてもかっこいいお2人
@ohkawamasaki さん
@unekim さん
もし時間があれば、是非お願いします

泉水マサチェリー(Shime inc,・Byebee) @masacherry · 2020年4月19日
@anaoqbo サンキュー！いかれたbabyからの夏休みのbaby、お楽しみください！
ってことでリリスクチームからリサノちゃん @risano_0928 上田君@shuhej そして、フィッシュマンズツアーでご一緒した木暮晋也さん @kogureshinya に繋ぎます！ドキドキ…！LET'S STAY HOME！ #うたつなぎ

図３ 「＃うたつなぎ」を実際に行っているアーティストのTwitter

ラッパーの泉水マサチェリーのツイートを受けて、lyrical school メンバーの risano がツイートしている。

出 典：https://twitter.com/risano_0928/status/1253220834027515904

⑶ 制作者に次の作品を作ることを指示される

制作者から指示を受けて作品を鑑賞し、次の作品を作る方法である。

これはたとえばTwitterで、「#自撮りつなぎ」「#うたつなぎ」（#はハッシュタグ）と言われているようなムーブメントを想像するとわかりやすい（図３）。Twitterでは、@をつけることで、ツイートを人に通知することが可能である。そしてそこに、このハッシュタグを付すと、これを見た人は同様の作品をTwitterで発表してほしいという意味になる。これは昔から「バトン」「チェーンメール」などと呼ばれていたものに似ているが、他の人から見える規模の大きいSNS環境でこのような動きがあるのは、コロナ禍での大きな特徴であった[28]。とはいえ、このような強制的コラボレーションの在り方に対しては否定的な意見もあり、参加する際には気をつけなくてはならないだろう（バトンは受け取るがそのあと人には回さないというスタンスの方もいる）。

28） 柴（2020）によると、この「#うたつなぎ」は3月31日にロックバンドHEADLAMPの平井一雅およびロックバンドLOCAL CONNECTのISATOらによって始められたとされている。

(4) 鑑賞している人物を鑑賞する

作品を鑑賞している人物も含めて、それを一つの作品として鑑賞するような方法である。

この筆頭がゲーム実況である。コロナ以降、ゲーム配信分野は急成長しており、5月4～6日の総視聴時間は2月と比べ2倍近くにも達したという[29)]。ゲーム実況の見せ方は、コロナ禍以前から様々な方法論が模索されてきた。たとえば2人のVTuberがゲームを行い、それを見る形式の動画から考えてみよう。2018年にYouTubeに投稿された動画「【初コラボ】ヨメミ×アカリのデスマッチ!![30)]」を見ればわかるように、ゲーム画面と同時に、それぞれゲームを行っているキャラクターを鑑賞するということが行われる。この動画ではVTuberになるという変換も遊びの一つであり、重層的な遊びが行われているのも特徴であった[31)]。

(5) 様々な場所から鑑賞する

従来、作品の鑑賞というものは、屋内の決まった位置からそれほど動かずに見ることが多かったが、そうでない一風変わった形で鑑賞を行う方法である。

人々が在宅を強いられるのに伴い、作品の「鑑賞場所」にも変化が起きた。なかでもゲーム的な空間のなかで動き回りながら、複数人で作品を同時鑑賞するというスタイルのバリエーションが増えたということは特筆すべき現象であった。たとえばデジタルゲーム『フォートナイト』上で、ラッパーのトラヴィス・スコット（Travis Scott）が4月24日から26日に開催したバーチャルコンサート『Astronomical[32)]』では、スコットが巨大化するなど、現実空間ではできないような体験を提供していた。音源はライブ音源ではないが、観客同士がゲーム上でコミュニケーションできるため、1回きりの体験を提供することが可能になり、同時接続数1230万という成功を収めたのだ。

29） 詳しくは、配信技術研究所（2020）を参照。

30） https://youtu.be/lGkQzYjN9GQ

31） このようなVTuberのゲーム実況の性質については、宮本（2018）に詳しい。

32） https://youtu.be/wYeFAlVC8qU

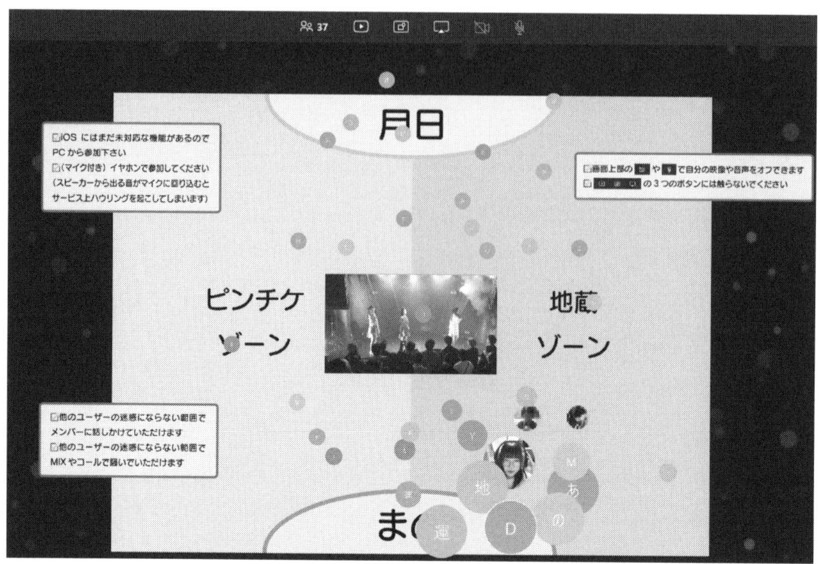

図 4　spatial.chat で行われたライブの例

アイドルグループのRAYによる 5 月 24 日のイベント 。メンバー自身も spatial.chat に参加し、ファンと交流しながら、自らのライブ動画を鑑賞していた。なお、プライバシー保護のため、一部にモザイク処理を施した。

出典：https://twitter.com/_RAY_world/status/1264140100700483584

ビデオ通話ツールにも変化が起きた。たとえば「spatial.chat」というバーチャルビデオチャットツールが、4 月に日本では少し話題になった[33]。このツールは YouTube の画面を複数映しながらビデオ通話ができるなどの機能を持ち、この際、近くにいる者同士での音が大きく聞こえたり、YouTube 画面から離れるとその音が小さくなるなど、実空間を模したような音の感覚を得ることができるように作られていた。そのため、spatial.chat を用いて、作品を鑑賞するライブなども行われていた（図 4）。

また、これまで実空間で可能だった政治活動ができなくなったことで、仮想空間で政治活動的なメッセージを含んだオブジェクトを制作、鑑賞するこ

33）　たとえば、小宮（2020）などを参照。

とも起きた。[34] たとえば、任天堂が開発し、3月にリリースしたデジタルゲーム『あつまれ どうぶつの森』は、本来ほのぼのとしたゲームであるが、香港の民主化運動を行う若者たちが、このゲームでオンラインコミュニケーションが可能であることを利用し、様々なオブジェクトをゲーム内で発表したことはTVなどでも大きく報じられた。[35]

以上の話は仮想空間でのものだが、鑑賞場所の変化は、リアルな空間でも起こった。たとえば、かつて1950年代、1960年代あたりにアメリカで流行した、駐車場で車に乗ったまま巨大なスクリーンを眺める「ドライブインシアター」のような鑑賞方法がリバイバルし、話題になった。また、同様に車に乗ったまま、音楽ライブを楽しむイベントなども開かれるようになった。

3. ディスタンス・アートの題材

コロナ禍で作品を作る人間は、ディスタンスをどう考えるか、どうしても意識せざるを得ないだろう。多かれ少なかれ、物語で人が集まるシーンの描き方について悩んでいるクリエイターがほとんどではないだろうか。そこでここでは、ディスタンス・アートの題材について考える。たとえば、以下の5つが挙げられる。

⑴ リモート社会の問題点を考える
⑵ パンデミックもの
⑶ アーキテクチャとしての距離
⑷ ソーシャルディスタンス状況での生き方
⑸ リモート強制状況から人類を救う可能性

それぞれを順に考察してゆく。

34) ちなみに、ゲーム内でこのような政治活動が行われる可能性は、かつて2009年にコリイ・ドクトロウが発表した『リトル・ブラザー』というSF小説でも描写されていた。

35) 詳しくは、MAX BERNHARD (2020) を参照。

図５　劇団テレワークによる、テレワークでのマナーをユーモラスに皮肉る演劇
出典：https://youtu.be/FrvWkRBhHmc

⑴ リモート社会の問題点を考える

リモート社会はコロナ禍で突然始まったため、様々な問題が起こることが予想され、それを描く作品が登場した。

ここまで何度も挙げてきた「劇団テレワーク」は、題材の面でも非常に尖った作品を生み出している。たとえば、4 月 19 日に YouTube 配信された「本公演 #01『最高のテレワークマナー』【劇団テレワーク】」の題材は、テレワークの問題点をあぶり出すものであった（図５）。

このような題材には、コロナ禍以前に作られた、古い作品にもヒントがある。たとえば、1957 年に刊行されたアイザック・アシモフによる SF 小説『はだかの太陽』。舞台となる星では、地球人が感染症を運んできたらしいという状態で、人と人との接触が極端に嫌がられており、夫婦でも別居が当然となっている。すべてリモートワークと遠隔操作ロボットで成り立つ世界なのだ。人々が三次元ビデオ通話のようなものを用いることでコミュニケーションを取っている社会が描かれている。という設定を聞けばわかる通り、これはコロナ禍以前に書かれているが、「リモートワーク時代のミステリ」の可能性を示したものである。

SFやミステリはどのようにリモート社会を想像してきたか。そこではどのような問題が起こり得るのか[36]。このようなことを考えるのは、これからフィクションを作る上で有用である。たとえば、AIミステリ[37]やVRミステリ[38]、ドローンミステリにはヒントがあるだろう。

(2) パンデミックもの

ウイルスや病原菌の流行を描く題材である。

現在、ディスタンス・アートの多くはこういったパンデミックものの一形式として見られている向きがあるが、それはむしろ逆で、パンデミックものをディスタンス・アートの一つとして捉えたほうが理にかなっているように思われる。たとえばゾンビ映画では、非感染者が感染者を近寄らせないようにする状況が描かれるが、それはディスタンス・アートの手法の一つとして分類できる。このような題材はコロナ禍で非常に注目を浴び、様々な論者がほうぼうで作品を紹介した。具体的にどのような作品があるかは、Wikipediaの「ウイルスを題材にした作品[39]」というカテゴリページが充実しているため、そちらを参照するのが良いだろう。

ここでは一つ、代表例として、Miniclip SAおよびNdemic Creationsにより開発された『Plague Inc.』というゲームを紹介する。このゲームでは、最強のウイルスを作り出し、人類を絶滅させることが目指される。これは2012年にリリースされたものであるが、コロナ禍に際した3月、ユーザーが「シナリオクリエイター」機能を用いて対応シナリオを作成するといった動きを起こしたり、開発元自体も、専門家の監修のもとアップデートを行

36) 参考になる書籍に、一田ほか（2015）がある。この本ではサイバーミステリの様々なパターンが考察されており、リモートワーク時代のミステリの可能性を考える上で役に立つであろう。

37) 人工知能を題材にとったミステリについては、宮本（2017）に詳しい。

38) 仮想現実を題材にとったミステリについては、宮本（2019）に詳しい。

39) https://ja.wikipedia.org/wiki/Category:%E3%82%A6%E3%82%A4%E3%83%AB%E3%82%B9%E3%82%92%E9%A1%8C%E6%9D%90%E3%81%AB%E3%81%97%E3%81%9F%E4%BD%9C%E5%93%81

うことを発表した。その中ではソーシャルディスタンスなどを対策に用いて伝染病の感染拡大を防ぐモードの開発が目指され、その後実際に実装された。『Plague Inc.』はアメリカ疾病予防管理センターから評価されていたり、WHOに寄付していたり、社会的存在として大きな影響力を持っている[40)]。パンデミックを題材に取る方法として、たいへん参考になる事例といえよう。

⑶ アーキテクチャとしての距離

「とりあえず距離を取らせる」というだけでも、ディスタンス・アートの題材として十分である。

たとえば、風刺漫画家のクレイ･ベネットが絵本『ウォーリーをさがせ！』を勝手にパロディしたイラストを、3月17日に *Chattanooga Times Free Press* に掲載したことが注目を集めた。『ウォーリーをさがせ！』は、マーティン・ハンドフォードが1987年に出版した絵本であり、無数に書き込まれたキャラクターたちのなかから特定の人物を見つけ出す遊びができるようになっているのが特徴である。クレイ・ベネットによる風刺画では、イラスト上で人々がソーシャルディスタンスを取って離れている様子を描き、ひと目でウォーリーを見つけることが可能になっているというのが笑えるポイントになっていた[41)]。

また、小池百合子都知事の発言「密です」が反響を呼び、様々なパロディが作られた。中でも坂下申世が開発し、4月20日に公開したブラウザゲーム「密です3D[42)]」は大きな話題となった。集まっている市民を「密です」の掛け声の元に離れさせていくというゲームである。

ほかにも、ストーリーや設定自体に距離の話題が含まれていなくても、偶発的に距離が注目される事象も存在する。たとえば、コロナ禍以前のゲームに、2004年にBlizzard Entertainment社が開発した『World of Warcraft』というMMORPG（多数のプレイヤーが同時にアクセスできるRPGのオンライン

40） 詳しくは、ミル☆吉村（2020）を参照。

41） 詳しくは、岩澤（2020）を参照。

42） https://mitsu-desu-3d.netlify.app/

ゲーム）がある。そこで2005年に発生した「汚れた血事件」は、はからずもゲーム内で感染症のシミュレーションを行った事例として話題となった。どのような事件かというと、ゲームに実装された敵のキャラが、周囲にもダメージを感染させる攻撃技を仕掛けてきて、これによってゲーム内世界が意図しないパンデミックに陥ってしまったという事件である。つまりゲーム内においても、ソーシャルディスタンスを取らないといけなくなる可能性はあるのである。このような過去の事象も、あらためてコロナ禍で注目を集めるに至った[43]。

(4) ソーシャルディスタンス状況での生き方

コロナ禍では、多くの作品で、ソーシャルディスタンスを取らざるを得ない世界での生き方を提示するストーリーが描かれ始めた。

中でも秀逸だったのが、上田慎一郎が監督し、5月1日にYouTubeに投稿された「短編映画『カメラを止めるな！リモート大作戦！』本編 | One Cut of the Dead Mission: Remote[44]」である。この作品は、「映像を繋ぐ手法による映像制作」自体をストーリーにしており、それ自体コロナ禍における創作論（そしてそのパロディでもある）にもなっていた、秀逸なものであった。

また海外では、Apple TV+ でマペット人形劇「フラグルロック」の新作エピソードとして、ソーシャルディスタンス状況が反映された内容が4月21日から6話にわたって放送された。

では、コロナ禍以前に、ソーシャルディスタンス状況での生き方を考えていた作品には、どのようなものがあるのだろうか。2019年にコジマプロダクションが開発したデジタルゲーム『DEATH STRANDING』は、一つの事例として考えられるかもしれない。特殊な災害によって分断されたアメリカで、配達人が世界を支えているという設定であり、SF・ファンタジー的世界観ではあるが、ソーシャルディスタンスの世界を予言したような作品であった。

43）たとえば、log1h_ik（2020）を参照。

44）https://youtu.be/HTk2wqBxVfY

(5) リモート強制状況から人類を救う可能性

コロナウイルスの流行のような問題が起きると、人類はリモートを強制される状況に陥るが、そのような盤面を覆し、人々を救う可能性がある作品も、ディスタンス・アートの一種といえよう。

実際、間接的にではなく、直接的にコロナ禍を終わらせることを目的としたディスタンス・アートも、この世には存在する。その筆頭が、タンパク質の構造をゲーマーに解かせるオンラインゲーム『Foldit』である。このゲームは2008年にワシントン大学のメンバーによって製作され、ゲームでありながらも、実際にこれまでウイルスの構造解析などで成果を挙げてきた。そして今回のCOVID-19に対しても、解析プロジェクトが行われている。

おわりに

以上、ここまでディスタンス・アートの創作手法を、形式・鑑賞・題材の面から紹介してきた。

では、果たしてディスタンス・アートにはどのような未来が広がっていて、その未来に対して本論はどのような意義を持つのだろうか。最後にそれを考察し、本章の結びとしたい。

まず、災害や危機が起こると、今回のコロナ禍のように、従来のようにアートが作れなくなる可能性がある。その際に、どのようなアートが有り得るのかを先に考えておくことは、文化を生き延びさせる上で重要である。21世紀は、おそらく危機と災害の世紀になる。一部の地域が持っているリスクが世界に一瞬で拡散する可能性は、経済のグローバル化に伴いますます増大してゆく。強毒性鳥インフルエンザのような各種の危険なウイルス／病原菌の流行、テロや戦争における生物兵器の使用など、コロナ禍よりも破滅的な状況をもたらし得る出来事は山ほどある。そのような状況下をサヴァイヴするには、すぐに完全に家に引き籠もれる体制に移行できる社会の構築が必須であるが、そこで並行してディスタンス・アートが進化していなかったら、社会は精神的余裕を失ってしまうであろう。

ディザスターによってアートがダメージを受けてしまうということは、長期的にみると社会にとって大きなダメージになり得る。ドイツでは3月30日に、モニカ・グリュッタース文化相が「アーティストは今、生命維持に必要不可欠な存在」と発言し注目を集めた[45)]。そして実際、その後ドイツ政府はフリーランサーや芸術家、個人業者への支援を行っていった。この姿勢には見習うべきところがあるであろう。

COVID-19への対応で冷静な対応が話題となった千葉市長（2020年当時）の熊谷俊人は、2009年のカンファレンスで、市政においてウィリアム・ギブスンによるSF小説『ニューロマンサー』を意識していると話していた[46)]。「緊急事態に冷静に対処できたのはSF読みだからか！」と思うのはフィクション好きの単なるエゴかもしれないが、実際そのようにフィクションが市政に影響することもあるわけである。

また、アートを通して政治を議論することは、実際の政治について直接議論するよりも良い効果をもたらすケースも考えられる。現実の対象に対しては思い入れによって議論が「捌け口」のようになってしまう場合も多いが、アートを媒介して議論することで、一定の距離を保ちながら考察することも可能になる。ディザスターへの対処の仕方をフィクションやアートから考えることも大事なのではないだろうか。

さらに、ディスタンス・アートを考えるということは、ウイルスや細菌などのバイオ的な危機を乗り越えるため以上に、もっと大きな可能性も秘めている。たとえば、コロナ禍でウェブコンテンツに力を入れたことで、それが世界と繋がるチャンスになると気づいたクリエイターは多いであろう。また、もっと大きな視野に立つと、ディスタンス・アートは人類が遠い宇宙に進出していった際に重要になり得る。というのも、圧倒的に「距離」が離れた場所同士が連絡を取り、孤独と暇に耐えつつ文明を発展させる、といったことが行われるであろうからだ。

最後に一つ、重要なことを書いておきたい。ここまでで誤解して欲しくないのは、本論は「役に立つ」アートが重要と主張しているのではない、とい

45） 詳しくは、モーゲンスタン（2020）を参照。
46） 詳しくは、WIRED STAFF（2019）を参照。

うことだ。どんなアートに対しても、「アートは役に立たない」と割り切るのではなく、「どうやったら役に立てられるのだろう」と方法論を模索することが大切なのである。つまり、実際に作品を作るだけでなく、このように批評・整理を行うことも重要であり、災害に対する「予防的批評」とでも呼ぶべき批評スタイルは、今後も様々なディザスターに対して批評家が取っていくべき一つの姿勢になるはずだ[47]。アートから現実を逆算して考察する能力や、未来から現在を逆算して役立てる能力が、いま求められている。

本章を読んで共感して頂いた皆さまにおかれては、ぜひ一緒にそのようなことを考えていって頂ければ幸いである。

付記：本章は、早川書房の note に 5 月 3 日に宮本道人が寄稿したウェブ記事「【緊急寄稿】コロナが芸術にもたらした未曾有の変異をとらえるために――『ディスタンス・アートの創作論』」[48]に加筆・修正を行ったものである。執筆にあたっては、筑波大学の大澤博隆氏、限界研の杉田俊介氏・蔓葉信博氏・竹本竜都氏・藤井義允氏、漫画家のハミ山クリニカ氏から貴重なご助言を頂いた。また、早川書房の note への寄稿の際は、編集者の一ノ瀬翔太氏にご担当頂き、原稿に調整を行った。ここに記して感謝申し上げる。

本稿執筆時の情報収集にあたり、JST JPMJRX18H6「想像力のアップデート――人工知能のデザインフィクション」の支援を受けた。

本章に登場するウェブページのリンクはすべて 2021 年 12 月 4 日に確認を行った。YouTube や Twitter の特性上、動画タイトルやアカウント名が公開時と変更されている場合もあるが、それらは公開時のものではなく、2021 年 12 月 4 日時点のものを掲載した。

◆参考文献

一田和樹・遊井かなめ・七瀬晶・藤田直哉・千澤のり子 2015『サイバーミステリ宣言』角川書店

岩澤里美 2020「笑える？笑えない？『ウォーリーをさがせ！』にも新型コロナウイルスで外出自粛要請」ニューズウィーク日本版（https://www.newsweekjapan.jp/stories/woman/2020/04/3-6.php，2021 年 12 月 4 日最終閲覧）

47）たとえば、宮本（2020）、草野・宮本（2018）、限界研（2020）などが参考になる。
48）https://www.hayakawabooks.com/n/n32fc89b77543

限界研 2020「【初コラボ】ウイルス VS 人類 VS フィクション feat アッガイズチャンネル」YouTube（https://youtu.be/y2lDEzd7izs, 2021 年 12 月 4 日最終閲覧）

草野原々・宮本道人 2018「もうすぐ絶滅するというディザスターさんについて」シミルボン（https://shimirubon.jp/series/214, 2021 年 12 月 4 日最終閲覧）

小宮大輔（illo / 釣り人）2020「突如現れたバーチャルビデオチャット『spatial.chat（スペチャ）』のすごさとは？」note（https://note.com/daisuke538/n/ne9d0b320fd7f, 2021 年 12 月 4 日最終閲覧）

柴那典 2020「外出自粛の日々の中、自然発生的に広まった『# うたつなぎ』が示す新しい音楽文化の萌芽」Yahoo! ニュース（https://news.yahoo.co.jp/byline/shibatomonori/20200412-00172846, 2021 年 12 月 4 日最終閲覧）

配信技術研究所 2020「コロナ禍ではゲーム配信が急成長　1 人当たりの視聴時間は約 2 倍に」日経 XTREND（https://xtrend.nikkei.com/atcl/contents/18/00366/00001/, 2021 年 12 月 4 日最終閲覧）

宮本道人 2017「ミステリと人工知能」『ジャーロ No.59 2017 SPRING』光文社

――. 2018「リアリティ・ミルフィーユに遍在する VTuber たち」限界研編、竹本竜都、宮本道人編著『プレイヤーはどこへ行くのか――デジタルゲームへの批評的接近』南雲堂

――. 2019「ミステリと仮想現実」『ジャーロ No.70 2019 WINTER』光文社

――. 2020「対震災実用文学論――東日本大震災において文学はどう使われたか」限界研編、飯田一史・杉田俊介・藤井義允・藤田直哉編著『東日本大震災後文学論』南雲堂

ミル☆吉村 2020「伝染病開発シム『Plague Inc.』が、パンデミックを防ぐ逆モードを WHO の専門家の協力も受けつつ開発中。さらに 2500 万円以上を関連機関に寄付」ファミ通 .com（https://www.famitsu.com/news/202003/25195295.html, 2021 年 12 月 4 日最終閲覧）

モーゲンスタン陽子 2020「ドイツ政府『アーティストは必要不可欠であるだけでなく、生命維持に必要なのだ』大規模支援」ニューズウィーク日本版（https://www.newsweekjapan.jp/stories/world/2020/03/post-92928.php, 2021 年 12 月 4 日最終閲覧）

リアルサウンド映画部編集部 2020「行定勲監督による“完全リモート映画”が Hulu で配信　特別編には柄本佑、高良健吾との対談も収録」リアルサウンド映画部（https://realsound.jp/movie/2020/06/post-563587.html, 2021 年 12 月 4 日最終閲覧）

bemee 2017「ヒップホップにおける『サンプリング』をめっちゃ分かりやすく説明するよ」Hatena Blog（http://bemee.hatenablog.com/entry/2017/08/19/100000, 2021 年 12 月 4 日最終閲覧）

KX 2020「安倍総理の星野源さんコラボは何が問題だったのか／音楽家からの視点と分析」note（https://note.com/kaixaoki/n/n094582efcd8d, 2021 年 12 月 4 日最終閲覧）

log1h_ik 2020「世界一プレイヤーが多い MMORPG で流行した『死の伝染病』から

パンデミックに対処するヒントを得られる可能性」Gigazine（https://gigazine.net/news/20200317-wow-virtual-outbreak-corrupted-blood/，2021 年 12 月 4 日最終閲覧）

MAX BERNHARD 2020「香港の民主化運動の舞台は『どうぶつの森』へ――仮想空間で抗議活動を続ける若者たち」WIRED（https://wired.jp/2020/04/23/animal-crossing-hong-kong-protests-coronavirus，2021 年 12 月 4 日最終閲覧）

WIRED STAFF 2019「アートとテクノロジーの実験区はかくして実装される――千葉市長・熊谷俊人との対話で見えた都市の未来図」WIRED（https://wired.jp/2019/12/11/metacity-session-chiba-city-blues/，2021 年 12 月 4 日最終閲覧）

Zy の「サブカルチャー」ってなんだっけ 2020「【# 音楽】突然の "Tokyo Drift"Freestyle ブームをまとめてみた【# ヒップホップ】」note（https://note.com/zaki_subculture/n/n94be5d54955c，2021 年 12 月 4 日最終閲覧）

10 COVID-19下の創造性と芸術表現

池田真利子

はじめに

2020年は人類にとって極めて挑戦的な年であった。この未曾有の感染症の存在がメディアにて報道されて以来、日本も海外も、すでに複数回の感染波を経ており、ワクチン接種も進むが、収束の目途はいまだに立っていない。SARS-CoV-2は、ヒトを介して感染伝播する。したがって、マスク着用やサニタイザー、飛沫予防パネルの用のほかに、3密（Closed、Crowded、Close-contact settings の 3Cs）の回避が対策の基本に据えられ、かつ、人間の活動には制限が加えられることとなった。

この、3密回避の原則が私たちの日常生活に与えた影響は計り知れない。特に文化芸術領域における影響は甚大であり、その影響を可能な限り網羅的に、かつ世界と相対化させながら理解することが必要となる。そのため、まず本章で考察するのは、新型コロナが文化芸術分野に与えた影響である。とりわけ、「3密（3Cs）」の条件を満たす文化芸術関連施設（文化ホール・劇場・ライブベニュー・スタジオ等）は、音楽を扱っているため、密閉性の高い建築構造にあり、かつ営業時間も、コロナ対策においては自粛時間とされた夕刻から早朝の「夜」である。そのため、世界でも地域を問わず営業停止や自粛の状況におかれ、ワクチンの複数回接種の進むなかにおいても、業種によっては、引き続き通常営業の継続が困難な状況にある。また、こうした「夜間音楽施設」は他の公益性の高い民間文化セクターと同様に、一般的に大都市に集積する傾向にあり、今後も断続的な影響を受けやすい立場にあると推察される。しかし、夜間音楽施設は単なる「消費の場」ではなく、アーティストが創作活動やパフォーマンス表現を行い、同時に収入源を得る「生産の場」でもある。そこで本章では、まず、文化芸術の分野において、いかなる影響があったのかを概観する。

第二に検討するのは、新型コロナに直面した社会が、どのように文化規範を変化させたかである。「マスク着用」における文化規範の地域的違いは、公衆衛生における感染対策とも関連し、いかにコロナが社会のニューノーマルにおいて影響を与えるかを示唆する。そこで考えたいのが、デジタル技術やネット環境の総称としてのオンラインを巡る文化規範の変化である。大学・大学院等の高等教育機関は例に漏れず、不特定多数の人間の接触を避ける必要のある状況下では、第3次産業、なかでも知識集約産業を中心にテレワークやオンライン教育が推奨された。これを機に、有用なオンラインソフトウェアが多数開発され、我々の働き方や学び方、そして時間の使い方が変化した。SNSを含むオンラインソフトウェアは、非常に強力な民主主義的なツールとして機能する側面もある。イギリスの研究系大学では大型講義を中心に、今後もオンデマンド式のオンライン講義を採用し、大学でもオンライン留学が可能となっているように、オンラインは以前にも増して、私たちの生活に欠かせないものとなってきている。こうしたオンラインが前述の文化芸術分野に与える影響も小さくなく、パフォーマンスの一手段として有効に機能し、あるいはコロナ禍におけるアーティストの自律的な運営をサポートする部分もある。したがって本章では、今後の感染症対策に向けた展望を含めて、オンラインの有効性を議論する。

1. 新型コロナと文化芸術

(1) 世界における文化芸術セクター

「3密」回避において、知識集約産業の企業や大学等はそれに従い急速にオンライン化対応を進めたが、オンライン化することの困難な文化施設、とりわけ博物館や美術館、あるいは劇場や文化ホール等の文化施設はしばしの間、活動の停止を余儀なくされた。こうした文化芸術セクターにおける影響を定量的に把握した報告書類は依然少ないなかで、全体像をかろうじて把

表1　国際機関における文化芸術に係る報告書

概要	実施機関	時期	報告書名称	件数
文化芸術セクター	UNESCO	2020.4	Culture & COVID-19: Impact and Response Tracker	unk
	UNESCO	2020.10	Culture in Crisis: Policy guide for a resilient creative sector	unk
	Global Screen Production	2020.6	The Impact of Film and Television Production on Economic Recovery from COVID-19	unk
	McAndrew, C.	2020.10	The Impact of COVID-19 on the Gallery Sector. A 2020 mid-year survey	unk
	Hall, S.	2020.5	This is how COVID-19 is affecting the music industry	unk
	Global Book Publishers Market 2020-2030	2020.5	COVID-19 Impact and Recovery	unk
ミュージアムセクター	UNESCO	2020.5	UNESCO Report: Museums Around the World in the Face of COVID-19	unk
	ICOM	2020.5	Survey: Museums, Museum Professionals and COVID-19	1600
	ICOM	2020.10	Follow-up Survey: the Impact of COVID-19 on the Museum Sector	900

unk: 記載なし
出典：UNESCO (2020) およびオンライン調査に基づき作成

握するのに適しているのが、UNESCO（United Nations Educational, Scientific and Cultural Organization, 国際連合教育科学文化機関）や ICOM（International Council of Museums, 国際博物館会議）を一例とする国際機関や、あるいは超国家における文化政策の策定や統計整備の進む EU（欧州連合）の報告書である（表1）。

まず、UNESCO は 2020 年 4 月に、文化セクターにおける影響および反応に関する軌跡を記録するため、「Culture & COVID-19──影響と反応の軌跡（Culture & COVID-19: Impact and Response Tracker)」特設サイトを設置し、また、半年後の 2020 年 10 月には「危機における文化──レジリエントな創造部門のためのポリシーガイド（Culture in Crisis: Policy guide for a resilient creative sector)」を発表した。同報告書では、映画産業や映画館、劇場、音楽業界、アートギャラリー（紙媒体の作品を含む、海外・彫刻や写真、映像・ビデオアート、デジタルアート等）から書店に至るまで、広義の文化セクターに言及しており、文化芸術がいかに社会の一部であるのかを暗示する。また、実態報告書に終始するのではなく、パンデミックにおいて影響を直接に受ける個々のアクターに実践的知識や必要な情報を提供するため、アーティストおよび文化事業者、あるいは文化創造産業への具体的な支援策、そして同セクターの競争力強化における各国のベストプラクティスが紹介されている。

なお、全世界で3000万人が従事すると推定されるこの文化セクターは、就業形態が実に多様であり、一様に捉えることが困難である（UNESCO 2020）。特に非正規雇用が多く、かつ女性就業者の割合が他セクターに比較して高い芸術文化セクターにおいて、新型コロナの影響は計り知れないことが国際社会において認識されている。

また、超域的な統計整備を進めてきたEUでは、2000年のリスボン戦略採択以来、第二次産業に代わる新しい産業として文化創造産業の重要性に関する共通認識が共有され、以降、文化創造産業分類の明確化と基礎的統計整備や「欧州文化首都」のような都市文化祭典事業を積極的に進めてきた（池田 2016）。とりわけ2008年のリーマンショック時には、文化創造産業は金融サービス業や製造業、不動産業に比して影響が少なかったこと、また他産業に比較して男女比の均衡がとれておりインクルーシブであること、したがって2030アジェンダであるSDGs（Sustainable Development Goals, 持続可能な開発目標）においても適切であることから期待されてきた側面がある。したがって、パンデミックにおいては、超国家的権限を有する欧州委員会（European Commission: EC）をはじめとして、EUでは当該産業のレジリエンスや将来的見込みに関する報告書が多数発表された。一例として2020年6月にECのJRC（Joint Research Centre）の運用するEC Science HUBにて公開されたMontalto et al.（2020）を参照すると、EU域内（UKを除く）における文化従事者730万人（EU総人口の3.7%相当）におけるフリーランスの割合の高さ[1]や、代替的収入源の有無や医療保険の有無を含めた社会保障における脆弱性の高さが指摘されている（Montalto et al. 2020）。しかし当該報告書でも、展覧会やコンサート、文化祭典等のキャンセル・延期、あるいは書店、

1） EUにおける文化事業者のフリーランスの割合は32%と、全産業の同割合の平均の約2倍高く、さらにアーティストや作家においては44%とさらに高い傾向にあり、かつ過去7年において同割合は上昇傾向にある。

劇場、博物館、文化遺産サイト、アートギャラリーや映画館の閉鎖等、間接的なものも含めるとその影響は計り知れないことを述べており、「文化」を扱う空間がいかに生活に欠かせないものかを訴えている。

最後に、ミュージアムセクターを、ICOMの報告書に基づきまとめる。これによると、世界中に9万5000件ほどあるミュージアム（博物館・美術館）のうち、9割が2020年4月時点で閉館を余儀なくされた（ICOM 2020a）。なお、2020年10月に公開されたフォローアップ調査結果によると、約半数が再開し、閉館を継続するミュージアムは2割以下であった（ICOM 2020b）。そのため、約半年間程度の閉鎖であったと考えられる。ただし、たとえばヨーロッパ地域では約8割が2020年秋に開館したのに対し、ラテンアメリカ・カリブ地域では全体の半数が、またアラブ諸国やアフリカ地域では約4割が閉館するように、開館状況には地域差が生じている（ICOM 2020b）。また、正社員の雇用状況は比較的安定していた一方で、フリーランス専門家のうち16%が一時解雇され、22%が契約更新不可であったと回答した（ICOM 2020a）。さらにミュージアムにおける複数のプログラムにも影響が出ており、2020年5月時点では、ミュージアムの約8割が展覧会を含むプログラムの減少を予定し、9月時点においてもミュージアムの約7割がこれを継続する結果となっている。なお、被調査対象のうち、15%がロックダウン期間中にオンライン活動（ヴァーチャルツアーやSNSの利用等）を実施したと回答したが、財源の限界やスタッフの不足、あるいはオンラインコンテンツの種類に関してなど、様々な課題も露呈しつつある。

(2) 各国における文化芸術セクター

文化芸術セクターにおいて、公的機関に属するか、民間機関に属するのかの問いは、新型コロナにおいて重要であった。特に、イギリスで実施したアーティストに対するオンライン質的調査では、新型コロナに際する生活保障や将来に関する見通しにおいて、前者（一例として公営オーケストラ団員）と後者（一例としてミュージシャンやイベントブッキング会社）では違いが生まれていた。ただし、「公」と「民」の位置づけは、各国の文化政策において異なる。ここでは一例として、ドイツと日本における文化芸術セクターへの影響を概観する。

①ドイツ

生命の維持に関わる状況においては、各国における公衆衛生の維持と対策が最優先事項となる。こうした状況において、G20 のなかにおいても早期に「文化」が社会において不可欠であるとの認識を示したのがドイツである。同国のモニカ・グリュッタース文化・メディア担当委員長（Beauftragter der Bundesregierung für Kultur und Medien）は、2020 年 3 月 11 日の緊急声明にて、以下の内容に言及し、見解を示した（Die Budesregierung 2020, 著者翻訳および要約）。

- 文化イベントの開催中止や、新型コロナによる顕著な来場者数の減少を受けて、こうした状況が、文化・創造産業、とりわけ小規模な施設やフリーランスのアーティストに苦痛を与えている点を、委員長として十分に認識していること
- 連邦政府より資金提供を得ている文化機関に対し、ドイツにて感染症対策を行うロバート・コッホ研究所の助言に従う必要性があるとした一方で、文化は贅沢品ではなく、文化なしで生活を行うことは困難であること
- 文化、創造産業、メディア産業を含む幅広い文化の担い手に対して、国が保障を含む支援策を行う必要性があること

同緊急声明は、ドイツにおけるアーティスト保護のための救済策（即時支援・生活保護・法的措置の 3 本柱）と併せて、日本でも数多くのメディア媒体で参照され、後述の国内における関連議論の生成に影響を与えた[2)]。ドイ

2）　なお、ドイツの文化政策は、「州の文化高権」と「補完性原理」を原則とする。これは、国家が文化に関する関与を強め、「文化」により国民を管理し、支配しようとした過去への反省に基づく（藤野ほか 2017）。連邦制であることに起因し、新型コロナ対策においては各州の連携において課題もあったが、文化政策においては、州の

ツは2020年3月22日より都市閉鎖を開始しており、その直前にこの緊急声明が出されたということであるが、自国民に限らず、自国内で活動する文化・芸術アーティスト（フリーランスを含む）に対し、メッセージを迅速に伝達した点、特に公的機関に限定せず、「文化・創造産業」を含む広義の「文化の担い手」を含む点、の以上2点において革新的であったと考える。

その後は、ロベルト・コッホ研究所による社会的接触の減少の必要性に関する強い要請を踏まえ、ドイツ連邦政府と各連邦州は危機に対処するため、2020年4月20日まで（実際には同年5月3日に延期）以下を閉鎖することとした。また、現況と続く対策を検討するため、連邦政府と州の間で隔週の議論の場を設けることとなった。

- バー、クラブ、ディスコ、パブおよび類する事業体
- 劇場、オペラハウス、コンサートホールおよび類する機関
- 催しもの、展覧会、映画館、テーマパーク、動物園および娯楽を提供する事業体（インドア・アウトドア双方）
- クラブや関連娯楽施設において大人数が集まること、また社会人教育センター、音楽学校やその他公共・民間機関

同声明に続いて2020年3月31日にはドイツ文化政策協会(Kulturpolitische Gesellschaft E.V.）から「文化政策は持続的に影響を与えなければならない――コロナ・パンデミック後の文化政策のための10項目」が出されている(藤野 2020)。当該項目の紹介は藤野（2020）に詳しいが、ここでその概略をみると、文化国家（Kulturstaat）のドイツ[3)]において文化インフラが民主主義的議論の形成に貢献することのほか、公立とは異なり州・市町村から独立した公益領域も公立と同様の権利において長期的救済策が求められること、かつ救済シナリオは持続的でなくてはならないこと、新型コロナを契機とした

文化芸術の雇用特性に応じて柔軟な保障が可能であったように思う。

3)　なかでも、『美術手帖』における藤野一夫氏の解説記事は、ドイツの「文化」を巡る議論に先駆けて言及していた（藤野 2020)。

主体的参画が必須であること、そして文化供給における長期的保障と計画・施策への結合、とりわけこの点に関する応用的研究の貢献可能性に言及している。また、印象的であるのは、ドイツの文化領域がしばしばインターネットに対し距離をおいてきた点（後述）に言及しつつも、この新型コロナにおける「デジタル時代の文化」の挑戦を認めるとともに、そのために物質的かつ人的資源が重要であることを認識し、かつこの提案に含めている点も特筆すべきである（藤野 2020; Kulturpolitische Gesellschaft E.V 2020）。

以上のように、ドイツではコロナを契機として文化芸術セクターが公的機関に限定されるものではなく、文化創造産業を一例として「公益性の高い民間」も文化の重要な担い手であることがより一層意識されていることがわかる。すなわち、ドイツの文化創造経済（あるいは文化創造産業）は、営利と非営利の双方を含み、これがコロナにおける実態・影響を把握する上で迅速な対応を可能としたとも理解できる。

さて、ドイツ国内における文化創造経済への影響に関しては、「連邦文化創造経済イニシアチブ（省庁間の垣根を超えるため、経済・エネルギー連邦省と文化・メディア委員会を中心に調整されているイニシアチブ）（Initiative Kultur- & Kreativwirtschaft der Bundesregierung: KuK）」による 2020 年 4 月の報告書（英語）「ドイツの文化創造産業における新型コロナの影響（COVID-19 Impact on the Cultural and Creative Industries in Germany）」があり、その他には文化創造産業やフリーランスを含む文化事業主が多い都市州ごとの報告書でその概要を理解できる（たとえば、Anheier et al. 2021）。KuK は、2020 年 3 月 26 日（同年 4 月 17 日更新）時点で、国内で 217 億ユーロ（約 2.8 兆円）の損失があり、また企業数にして 26 万社、約 170 万人に影響を与えると推定した。特にイベントキャンセルに影響を受ける文化産業への影響は、創造産業（広告産業・ゲーム産業）よりも高いと見込まれた（KuK 2020）[4)]。実際の影響はこの予測値に近く、2020 年に 224 億ユーロ（約 2.9 兆円）の損失があり、また文化産業は、ソフトウェアや広告産業等の創造産業の 3 倍以上の損失

4）実際には、報道産業、広告産業、出版産業、ソフトウェア産業への影響は予想を上回って大きかった。

図1　ドイツにおいて特に新型コロナの影響を受けると予測された産業（2020年）
出典：KuK（2020）

を記録する（KuK 2021）。なかでも、2020年3月に予測されていたように（図1）、パフォーミングアーツ（85%減）や音楽産業（54%減）、芸術市場（51%減）、映画産業（48%減）で特に強い影響が確認された（図2）。

特に大勢の集客を前提とする音楽産業への影響は回避し難いことが同公的イニシアチブにより理解され、推定ではその先半年間[5)]の集客イベントキャンセルにより62%が極めて強い影響を受けるものとされた。また、音楽制作者のほか、音楽レーベルや出版社の影響は翌年度に影響するため、翌年度への影響も過少評価できないことが報告されている。なお実際には、音楽産業の収益は54%の減少（総利益約553億円）であった。これは報道産業とならび、2000年代後半の総利益に該当する。ドイツでは2020年4月末からコロナ対策の慎重な緩和を開始したが、500人や1000人規模のイベント開催は許可されず、ワクチン接種の進んだ2021年も同状況は変わらない。特に、夏季フェスティバルや海外公演等による短期的収入を年間収入とする

5)　とりわけ2020・2021年は、季節性と関わるコロナ感染状況と、夏季開催傾向にある音楽フェスティバルが重複したことで、関連事業体（夏季音楽フェスティバルを主たる収益とするアーティストやイベントプロモーター等）が影響を受けた。

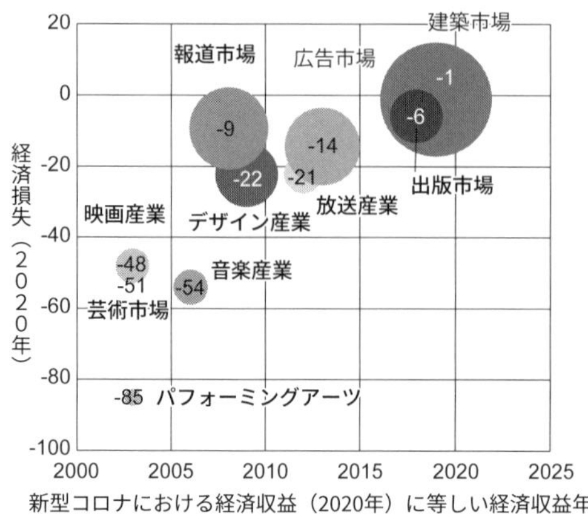

図２　2020 年におけるドイツの文化創造産業への影響（2021 年）
出典：KuK（2021）より作成

アーティストや関連事業体への影響は大きい。

なお、音楽産業に特徴的な産業構造も、コロナによる影響をさらに深刻化させている（表2）。一般的に文化産業は小規模事業主により構成されているため、まさにこうしたソロ自営業者（従業員をもたない単独自営業者）・自由業者、あるいは小規模企業の従業員やミニジョブ（賃金が月額 450 ユーロ以下、または就業日数が 3 カ月または合計で 70 日以下）が影響を受けている。ドイツにおける音楽産業の従事者は 9 万 900 人であり、そのうち社会保障の対象となる正規就業者は 4 万 100 人（約 44%）、ソロ自営業者が 1 万 4700 人（約 16%）、ミニジョブが 1 万 5700（約 17%）、ミニ自営業者が 1 万 5700 人（17%）である。特に、音楽従事者の多いベルリン市では、自営業のミュージシャンの約 3 割が、コロナ危機の影響でキャリアの見通しが立たず、職業を変更しているか、あるいはする予定であるという。

今後、こうしたイベントは、コロナ感染状況に応じて緩和されていく見込みもあるが、特に「First in-Last out（先入れ後出し）」を特徴とする音楽産業やパフォーミングアーツのライブ・ステージ部門、あるいは映画産業等は、これらの見通しが立ちにくいなかで先の計画を立てていく必要があり、この

表２　ドイツ連邦における文化創造産業の雇用形態とコロナの影響

	産業小分類	雇用総数	雇用形態				経済損失（2020）（単位：%）	経済収益（2020）（単位：億€）
			社会保障対象	ソロ自営業	ミニジョブ	ミニ自営業*		
文化産業	音楽産業	90,900	40,100	14,700	15,700	20,400	54	4.2
	出版市場	113,500	51,400	17,500	15,400	29,300	6	12.8
	芸術市場	49,200	5,300	12,400	3,600	27,900	51	1.1
	映画産業	122,500	43,300	20,000	21,300	37,900	48	5.2
	放送産業	66,000	25,000	17,100	1,600	22,300	21	8.6
	パフォーミングアーツ	111,300	27,400	21,200	21,900	40,800	85	0.9
	デザイン産業	275,400	93,100	60,500	56,700	65,100	22	16.4
	建築市場	176,400	98,500	38,400	19,600	19,900	6	11.7
	報道市場	245,200	110,500	31,100	75,500	28,100	9	27.2
創造産業	広告市場	277,200	128,700	29,100	94,700	24,700	14	25.4
	ソフトウェア・ゲーム産業	545,700	430,000	42,000	29,000	44,800	1	49.7

＊ミニ自営業はソロ自営業であり、かつ１年間の所得が１万7500ユーロ以下の者である。なお、課税免除の対象となる。
出典：KuK（2021）より作成

点においても厳しい状況にある。なお、小売業者がデジタル流通チャンネルを利用するようになったことで、消費もデジタルに移行しており、たとえば小売店が閉鎖していたにもかかわらず、物理的なレコード売り上げの減少は当初の懸念より少なく、また、楽器販売においても影響は少なかったとの報告もある。その反面、著作権管理団体GEMAの収益が前年度に基づくことを鑑みると、これらの業界への影響は中期的に継続する可能性があるとされている。

②日本

翻って日本における状況を概観すると、上記のグリュッタース委員長の公的な発言も契機となり、日本の文化行政における補償と文化活動維持のための早急な対応が必要であるとの認識が2020年３月に広まり、特に文化政策学会および文化経済学会〈日本〉において関連の緊急提言案がまとめられ、

2020年4月8日に文化庁長官宛てに第一案が提出された[6]。また、オンラインベースのシンポジウムやワーキング・グループは断続的に開催され、日本においてドイツ文化保障が参照すべきケースと紹介されたことの是非を含めて研究者らにより議論が行われているが、実社会と切り離された学術的議論も多いように思える。

日本の場合、文化庁における「文化」の定義（根木によると、政策対称は主に「芸術」「生活文化」「国民娯楽」「文化財」「国語」「著作権」「宗教」に要約される）は極めて広く設定され、また、中央主導型と地方・民間主導双方に特徴づけられる戦後の日本の文化行政は、1990年代に至るまで、長らく民間との距離を取ってきた（根木 1999）。そのため、文化庁における文化創造経済の位置づけも明確でなく、また、文化庁は公益に係るもののみを対象とせざるを得ない事情もあり、政策として概観する限りにおいては依然として公・民の隔たりは大きい。

なお、文化庁では関連主体に対する支援の必要性を踏まえ、2020年7月にコロナに対する主要国の文化芸術支援比較を参照し、文化芸術団体および個人への給付金を支給している（文化庁 2020）。ここでは、アメリカ・イギリス・フランス・ドイツと比較[7]する形で日本の支援内容がまとめられており、支援内容や条件は各国で一見相違がないように思える。他方で、ドイツの「文化の新始動（NEUSTART KULTUR）」事業のように、デジタル化支援を含むコロナ収束後を見据えた中期的な文化支援や計画は見受けられず、むしろGo Toキャンペーンのように、観光庁と関わり、地方部への人的流動の回復やまちづくりを含む地方創生が最も意識されているところである。

さて、日本における当該分野への新型コロナの影響に関しては、文化芸術

---

6) 同提言全体で10頁にまとめられており、すぐに必要な政策、および長期戦の中で必要な政策、感染沈静化後の復興に必要な政策の3フェーズにおいて、「A. 国民等の人権、衛生・安全等のための政策」と「B. 文化領域への経済支援等の政策」それぞれの「背景・問題意識」「提言」「推進方法」が記載された。

7) 各国の文化予算額（2020年）では、日本は1166億円（国家予算に対する比率は0.11%）と、フランスの4620億円（0.92%）、ドイツの2299億円（0.36%）、イギリスの1907億円（0.15%）、アメリカの1803億円（0.04%）のなかで最も低い（文化庁 2021）。

推進フォーラム（2021）の報告書に詳しい。同団体は、2001年の文化芸術振興基本法成立を受けて2002年に発足した団体であり、舞台芸術や音楽、映画、コンサート等の23団体から構成される。同団体が2021年2月から5月にかけて実施した網羅的調査によると、ドイツと同様に、パフォーミングアーツは平均58%、音楽は67%の影響を受けており、これは映画（45%）やミュージアム（54%）のほか、航空産業（52%）や飲食（27%）、宿泊（37%）よりも大きい（表3）。また、劇場やポピュラー音楽の影響は著しく、大規模ライブイベントの影響が大きいと推測されている。また、コンサート業界は約8割減となっており、パフォーマンスを含む産業への影響が極めて厳しいことを示唆する。

表3　日本の文化芸術へのコロナの影響

部門	事業種	損失（%）
パフォーミングアーツ	劇場	70
	全国劇場貸館料	60
	バレエダンス	58
	オペラ	53
	劇団	50
音楽	ポピュラー音楽	79
	クラシック音楽	55
上記関連	全国劇場貸館料	60
	舞台技術	60
伝統芸能等	寄席	59
	能楽	57
	伝統芸能等	57
映画	映画	45
ミュージアム	博物館	54

出典：文化芸術推進フォーラム（2021）より作成

なお、日本の文化芸術の経済構造も業種により大きく異なるため、一般性を求めるのは困難であるが、文化庁が2020年9月に実施した「文化芸術活動に携わる方々へのアンケート調査」（配布期間14日間、有効回答数1万7196件）では、「メールのやり取りや電話・対面での口頭のやり取りに基づき業務を受けている」と回答した人の割合が62.8%と、「業務委託契約書や支払調書、あるいは業務依頼書等の文書のやり取り」をしている割合（37.1%）より大きいことがわかっている。この他に、報酬や仕事内容において、依頼主や雇用主からの報酬や仕事内容の明示や支払いの遅延、一方的変更等において、弱い立場に置かれていることもわかっている。

また、当該団体は個人および団体に対し独自のアンケート調査を実施しており、事業分類別に結果をまとめている（表4）。これによると、収入が

表４　日本の文化芸術へのコロナの影響 ― 文化芸術領域別の個人・団体別収入変化

		コロナ後の文化芸術活動による収入変化					
		増加	変化なし	収入 75% 程度	収入 50% 程度	収入 25% 程度	収入 0%
全体	個人	4.5	11.2	14.7	29.4	26.9	13.2
	団体	2	5.9	10.9	31.2	34	16
音楽	個人	3.9	8.4	14.7	30.9	29.6	12.5
	団体	2.5	3.9	8.5	29.5	37.9	17.8
舞踏	個人	4.9	11.3	15.9	29.6	23.3	15.1
	団体	2.6	9.5	16.4	26.7	26.7	18.1
演劇	個人	4.7	13.2	13.7	27.5	24.4	16.3
	団体	1.2	8.6	13	33.3	32.7	11.1
伝統芸能	個人	1.3	3.9	12.9	35.8	35.3	10.8
	団体	2.6	3.9	3.9	38.2	28.9	22.4
大衆芸能	個人	3.5	9.6	7.4	26.9	33.9	18.7
	団体	1.6	1.6	3.2	24.2	50	19.4
舞台スタッフ	個人	3	8.6	12.2	29.1	34.4	12.7
	団体	1.3	3.8	5	33.8	45	11.3
美術	個人	7.9	20.5	16.2	24.3	19	12.2
	団体	1.4	11.1	18.1	33.3	19.4	16.7
写真	個人	5.3	13.4	11.6	27.2	27.6	15
	団体	8.3	0	8.3	50	16.7	16.7
電子機器を利用した芸術	個人	5.7	14.9	15.9	27.9	23.5	12
	団体	3.8	7.7	11.5	15.4	30.8	30.8
映画・アニメーション	個人	6.3	15.7	18.9	28.1	21.4	9.6
	団体	0	6.8	25	38.6	19.3	10.2
生活文化	個人	6.7	13.5	10.6	31.7	27.9	9.6
	団体	6.7	0	6.7	13.3	53.3	20
国民娯楽	個人	1.1	12.8	15	29.4	25.1	16.6
	団体	0	18.8	6.3	43.8	18.8	12.5

出典：文化芸術推進フォーラム（2021）より作成

50％以上減少したと回答した人の割合が個人全体で約７割、団体全体で約８割程度いる。個人では伝統芸能（個人で81.9％）や大衆芸能（79.5％）、音楽（73％）、写真（69.8％）、演劇（68.2％）、舞踏（68％）で高い。また団体では、大衆芸能（93.6％）、舞台スタッフ（90.1％）、伝統芸能（89.5％）となっている。なお、配信活動等において、オンラインに取り組むこととなったとの回答は個人53%、団体65.8%となっており、また年間収入が対前年比で増えたと回答している人にやや高い傾向にある。他方で、消費者に関する調査では、有料でオンライン配信を鑑賞したいと思わない、あるいは鑑賞料金の価格や画質・音質等で課題もあることが示されている。また、同報告書では、各産業別の就業構造や特性には触れられておらず、かつ協会を形成していない業界に関してはデータに反映されていない。そのため、経済産業省や厚生労働省、観光庁等の省庁が連携し関連基礎データの整備が必要となる。その際に、ドイツの広義の文化経済・創造経済の意義も含めて、検討が求められよう。

③グローバル都市の文化芸術と創造性、そして夜

世界で共通して影響を受けた文化産業のなかでも、特に、パフォーミングアーツや音楽産業に係る広義の文化空間は、大都市に集積する傾向にあり、都市ロックダウンや緊急事態制限下において大きな影響を受けた。

さて、「グローバル都市」と文化芸術との関係性について簡単に触れたい。グローバル都市（Global City）とは社会学者であり経済学者のサスキア・サッセン（Saskia Sassen）により2000年代に提唱された概念である。サッセンは、世界においてグローバルな資本の流れを調整・コントロールする都市（具体的には、ニューヨークやロンドン、東京等）があり、これをグローバル都市と呼んだ（水野 2010）。他方、都市発展において創造性が鍵だとしたのが、アメリカの地理学者のリチャード・フロリダ（Richard Florida）である。フロリダは、研究者やアーティスト、デザイナー、建築家等の創造力を源泉とする社会集団と都市の発展力との関係に注目し、こうした職種の人々は、あるいは宗教的規範が働きにくく、インクルーシブで寛容な地域を住まいとして好むとした（フロリダ 2009）。さらに、2010年代においては、「グローバルアート都市」（Morgner 2019）を一例として、都市戦略として文化芸術が評価され、都市間競争は金融業や不動産業のみならず、創造産業、あるいは文化芸術領域へと拡大してきている。

こうした創造性を源泉とする広義での文化創造産業と親和性が高いのが、「夜」である。チャールズ・ランドリー（Charles Landry）の「創造都市論」

は例に漏れず、夜は、昼間とは異なる社会経済を特徴とする。特に、脱工業化の進む都市行政においては、都市観光産業やエンターティメントを含む娯楽産業はより重要性を増しつつあり、「夜間経済（Nigh-time Economies）」は2010年代のグローバル都市を理解する鍵概念となっている（池田 2017）。また、夜間経済はメガ・イベント開催という国家的文化祭典とも大きく関連する。一例として、2012年にオリンピックを開催したロンドン市は、2016年に週末（金曜・土曜）のみの地下鉄（The Night Tube）の24時間運行を開始した。また東京でも、五輪開催と同時に夜間バス運行が、また、2025年に大阪万博の開催を予定している大阪では飲食店等が多く集まる御堂筋線において終電時間を延長する実証実験が、それぞれ実施された。

こうした夜間経済は、行政のオペレーションの困難な夜の時間帯の社会・経済が基盤である一方、犯罪防止や安全性の担保が必要となる。「夜の市長（Night Mayor）」は、市庁舎が閉じた後の夜の市民社会におけるガバナンスを担う人物のことを指すが、ナイトクラブやバーといった場所だけでなく、レストランや劇場、ホテル、クリエイティブな空間そしてそれらの利用を可能にする夜間インフラ・サービス関係者の統治者であり弁明者である。現在、世界にはアムステルダム市の当該制度を模した「夜の市長」が、45以上の都市に正式に置かれている（池田ほか 2020）。そこには地域間の差――ヨーロッパ社会では市民と夜の事業者を繋ぐ独立性の高い仲介者であるのに対し、北米ではマネージャーやディレクターと称され、夜間経済の責務を市政府から与えられる場合――もある（Dagenais 2020）。

さて、ガバナンスに対する地域差こそあれ、これらの台頭が求められるようになった原因の一つには、ジェントリフィケーションの発生（都市部インナーシティの特定街区においてブランド化が進み、地代が上昇することで社会経済構造が変化すること）や住商混合エリアへの変容に起因する伝統的なナイトライフヴェニューの減少があり、もう一つには様々な目的や嗜好をもった人が、より安全に、そして包括的に過ごすことのできる時間と空間への需要がある。これらは欧米主要都市において共通する地域的特徴であり、2000年代から特に顕在化してきた課題でもある（池田ほか 2020）。こうした地域共通の課題に対処するなかで形成されてきた自助組織としての夜の組織は、ベルリンの「United We Stream」のように自助的存続に貢献した（クラブ営業停止後の5日後に音楽コミュニティ Reclaim Club Culture と連携・公開し、クラウドファンディングで全世界より150万ユーロを集め、それを関係組織に再分配し、クラブカルチャーの自助的存続を図った）。世界の「夜」が停止した現在、コロナのなかで文化活動を継続するためにすべきことは、これらの文化産業が地域社会とより接続し、真に持続可能な関係性を構築することと、これによりレジリエンスを高めることであるように思える。

日本では、観光庁が主軸となり、インバウンド観光推進という論理のもと、夜間経済（ナイトタイムエコノミー）振興が行われ、こうした国政を背景に、長らく議論の対象となっていた風俗営業取締法（風俗営業等の規制及び業務の適正化等に関する法律施行規則、通称、風営法）の適正化が2015年に図られた。しかし、風営法改正や夜間経済振興に際し組織された関連協会は、その基盤が形成されていたにもかかわらずコロナに際して対処の術なく、夜のガバナンスの可能性についても疑問が残る。

2. 新型コロナを契機とするオンライン文化芸術の創造

先述のドイツにおけるオンラインへの注意深い対峙で理解されるように、文化芸術領域では、オンラインと冷ややかに対峙してきた歴史がある。それは、テオドール・アドルノ（Theodor Adorno）、マックス・ホルクハイマー（Max Horkheimer）、ヘルベルト・マルクーゼ（Herbert Marcuse）といったフランクフルト学派による複製技術批判に代表されるように、「産業化された文化」が、商品として文化を規格化し、その毒を抜き、うわべでは多様さを含む娯楽提供を行うが、その代償として上部構造のイデオロギーとしての文化が下部構造に伝達される構造を形成する危険性があるからである（倉田 2014）。文化行政が、公益に徹してきた理由の一つには、こうした危うさを回避する側面があったかもしれない。しかし、1990年代のドットコムブーム以降、オンライン技術の革新的発展により、SNSはE-デモクラシーの重要なツールとなり、これまでブラックボックス化されていた部分に光を当て、市民社会の成長と成熟を促す面も看過できない。

さて、グローバル化が文化芸術に与えた影響の一端として、音楽という無形コンテンツはデジタル技術と融合し、国境を越えて生産・消費がされるようになったことが挙げられる。特に、文化はグローバル化するだけでなく、ローカル化しながら変化をし続ける。たとえば、アメリカの黒人文化をルーツとするヒップホップ音楽やハウス音楽は、その後、世界中の若者文化（たとえば、ストリートカルチャーやテクノ音楽）と結びつき、文化の担い手を変化させている。それは、ピエール・ブルデュー（Pierre Bourdieu）が『ディスタンクシオン』で述べるような、階級に根差す文化指向というだけでは理解し難い現象である。

さらに1990年代以降のインターネット普及に後押しされる形で、音楽作品そのものやその感想を即時に共有できるようになり、また2000年代にはSNSの普及によりオンタイムでライブ配信が可能となると、音楽を媒介とする広義のパフォーミングアーツはさらなる発展を遂げたと考える。また、デジタルの変化のなかでも、2000年代後半にはspotifyやDeezerのように、音楽を購入せずに「所有」することのできるサブスクリプション型サービスが普及し、「所有」の仕方が変化したことにより、音楽財としてレコードやCD等の「アナログ」に回帰する傾向が見られる一方、たとえばキュレートされた音楽チャンネルのように、サービスは多様化しつつある（Ikeda and Morgner 2021）。なお、IFPI（2021）によると、コロナ禍である2020年の有料サブスクリプションのみの収益は18.5%増加、また広告サポートを含むと19.9%成長し134億ドルに達したとの報告がある。これは、世界の音楽売り上げの62.1%を占め、物理的な売り上げの4.7%減、そして演奏権収入の10.1%減を補完した。

とりわけ、音楽の非物質的性質を利用して、インターネットでシェアしたり、財に付加価値を付与することは、特にエレクトロを含むクラブ音楽を中心にすでに2000年に開始されていた。アーティストの作品発表のプラットフォームとしても使用されているDiscogやMyspace、そしてSoundcloudは、2000年代後半のストリーミングサービスの先駆けである。こうした音楽消費の変化のなかで、音楽パフォーマンスの方法も変化してきた。

とりわけ、DJ･VJが場所の中心的役割を果たす「クラブ」や「ミュージッ

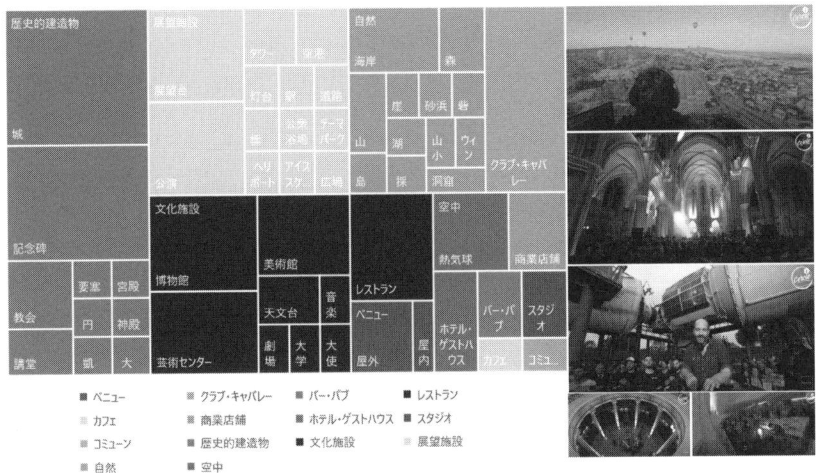

図３　Youtube Cercle におけるハイブリッド音楽パフォーマンス
出典：Cercle（2021）を基に筆者作成

クバー」における CD-J の台頭（2000 年）やデジタル DJ の台頭（2010 年）により、楽曲そのものがエレクトロフォーマットで生産されるようになったため、Youtube 等の動画共有プラットフォームを利用し、具体的な場所でのパフォーマンスと同時に、世界へとその様子がライブ配信されるようになった。

特に、テクノ音楽等のエレクトロ音楽は、楽曲の特徴（1 曲の長さ、リミックスとオリジナル曲等の混成）やニッチな消費スタイルなどに起因し、パフォーマンスとしての視聴が可能な音楽ジャンルである。「ネトノグラフィー（Netnography）[8)]」の手法を援用し、パリで 2016 年から開始された Youtube ライブストリームの「Cercle」の予備的な調査結果（図３）からは、フランス

8)「ネトノグラフィー」は、Kozinets（1997）に代表されるように、エスノグラフィーの分野で提示されたオンラインリサーチの手法であり、Twitter や公開されているオンライン上で意図せずに発せられ、構築された会話をデータとして使用する方法である。当該研究では、この視点を援用し、オンライン上で誰でもがアクセス可能な情報から情報を収集し、描写・テキスト分析を行った。また、Cercle 開催地域である長野県白馬村へのフォーマルな聞き取り調査で得た情報も、解釈において補足的に用いた。

の首都の著名なクラブやストリートで夜に開催されていたイベントが、夕刻から夜の（本来は音楽用途で使用されていない公共・民間の文化的空間である）博物館や美術館、世界遺産などの新しい「舞台（DJの背景となる具体的な場所）」を加え、オンラインと物理的環境におけるハイブリッド・パフォーマンスを創生したこと、それにより夜に特徴的な音楽コンテンツを、時間を超えた次元へと拡張したこと、さらに音楽と併せた背景などの視覚情報もコンテンツにおいて一定の重要性を持つ可能性があること、特に世界遺産を含む世界中の景色やドローンを駆使した映像は、その「舞台」（特にコロナでは自然地域を「舞台」とした映像が多かった）に併せてカスタマイズされ、ライブ配信される音楽と合わさって、極めて独自性の高い映像を作り出していることなどが明らかになった（Ikeda and Morgner 2021)。こうした新しいライブパフォーマンスは、コロナとはある種無関係に、実験的に生み出された文化表現であるが、目下、ポスト・コロナ社会に接続するための実証実験と新しい文化規範が求められているなかで、多くの可能性を提示する。

おわりに

ドイツではコロナ前より州を超えて政策提言に係る調査・分析に当たるイニシアティブが部局を超えて設置され、文化創造産業分類統計の整備（ドイツでは2009年に統計整備）が進められていたため、書店やレコード店等の広範な文化的な財を扱う小売業との関係性も含め包括的予測を可能とし、これがコロナにおいて迅速な政策決定を可能とした。またコロナを機に、民間における公益文化セクターの見直しが進められており、これはEUにおいても同様である。対する日本では、文化事業者に対する緊急支援が実施されたが、省庁連携の上での統計整備や政策決定の迅速性、そして何よりも「文化芸術」のアップデートにおいて課題が明確化した。今後は、夜間音楽経済における影響の可視化のみならず、これら事業体の基礎統計整備や分類の見直しが求められる。

また、今回のコロナが社会の消費スタイル（対面販売からEC〔Electronic Commerce, 電子商取引〕へ）へと与えた影響は大きく、オンラインのライブパフォーマンスは場所の制約を超克できる強みを活かし、パフォーマンスのチャンネルを増やし、進化を遂げている。Cercleを一例とし、アーティストと配信者数名で運営可能なハイブリッド型パフォーマンスは、ポスト・コロナ社会に接続するための段階的実証実験において有効に機能する可能性もある。他方で、文化芸術は物理的空間に身を置くことで初めて感じられる感動も少なくない。日常的な「文化の場所」が世界的に継続の困難に直面した今、その社会的役割は以前にも増して問われているように思える。コロナで変化した身近な文化や芸術、パフォーマンスを巡る文化規範の変化を考えながら、来たるポスト・コロナ社会にいかなるレガシーを残せるのか、まさに文化芸術を軸としたインクルーシブな知の共創が求められている。

◘参考文献

池田真利子 2016「ドイツにおける文化創造産業と政策――連邦州別の政策策定経緯に着目して」『E-journal GEO』11(1): 164-185.

____. 2017「世界におけるナイトライフ研究の動向と日本における研究の発展可能性」『地理空間』10(2): 67-84.

池田真利子・田中順也・小竹輝幸・小林愛・テメスガン，アセファ 2020「コロナ時代の夜間音楽経済」『地理』65(10): 13-19.

倉田量介 2014「ポピュラー文化と社会学――アプローチをめぐる考察」『人間関係学研究』16: 33-49.

水野真彦 2010「2000年代における大都市再編の経済地理――金融資本主義、グローバルシティ、クリエイティブクラス」『人文地理』62(5): 26-44.

根木昭 1999「我が国の文化政策の構造」大阪大学博士論文 (https://ir.library.osaka-u.ac.jp/repo/ouka/all/606/14848_%E8%AB%96%E6%96%87.pdf, 2021年9月4日最終閲覧)

藤野一夫 2020「論説――パンデミック時代のドイツの文化政策(1)」『美術手帖』(https://bijutsutecho.com/magazine/insight/21937，2021年6月14日最終閲覧)

藤野一夫・秋野有紀・フォーワト，マティアス・テーオドア 2017『地域主権の国　ドイツの文化政策――人格の自由な発展と地方創生のために』美学出版

フロリダ，リチャード 2009『クリエイティブ都市論――創造性は居心地のよい場所を求める』井口典夫訳、ダイヤモンド社

文化芸術推進フォーラム 2021『新型コロナウイルス感染症拡大による文化芸術界への甚

大な打撃、そして再生にむけて　調査報告と提言』文化芸術推進フォーラム（http://ac-forum.jp/wp-content/uploads/2021/07/forum_report2021.pdf，2021 年 9 月 3 日最終閲覧）

文化庁 2020「新型コロナウイルス感染症対応に係る文化芸術関係の支援について」（https://www.bunka.go.jp/seisaku/bunkashingikai/seisaku/18/01/pdf/92464403.pdf，2021 年 8 月 3 日最終閲覧）

――. 2021「令和 2 年度『文化行政調査研究』 諸外国における文化政策等の比較調査研究事業報告書」（https://www.bunka.go.jp/tokei_hakusho_shuppan/tokeichosa/pdf/93211801_01.pdf，2021 年 8 月 16 日最終閲覧）

Anheier, H., Merkel, J. et al., 2021, Culture, the Arts and the COVID-19 Pandemic: Five Cultural Capitals in Search of Solutions, Hertie School.（https://www.institute-for-cultural-governance.org/culture-the-arts-and-the-covid-19-pandemic-five-cultural-capitals-in-search-of-solutions，2021 年 9 月 3 日最終閲覧）

Cercle, 2021, Cercle（https://www.youtube.com/c/Cercle/videos，2021 年 10 月 1 日最終閲覧）

Dagenais, T., 2020, Andreina Seijas Charts the Emergence of the “Night Mayor”—An Advocate, Mediator, and Policy-Maker for A City’s Nocturnal Life（https://www.gsd.harvard.edu/2020/07/andreina-seijas-charts-the-emergence-of-the-night-mayor-an-advocate-mediator-and-policy-maker-for-a-citys-nocturnal-life/，2021 年 5 月 23 日最終閲覧）

Die Bundesregierung, 2020, Coronavirus - Kulturstaatsministerin verspricht Kultureinrichtungen und Künstlern Unterstützung - Grütters: „Auf unverschuldete Notlagen und Härtefälle reagieren“（https://www.bundesregierung.de/breg-de/bundesregierung/staatsministerin-fuer-kultur-und-medien/aktuelles/coronavirus-kulturstaatsministerin-verspricht-kultureinrichtungen-und-kuenstlern-unterstuetzung-gruetters-auf-unverschuldete-notlagen-und-haertefaelle-reagieren--1729916，2021 年 9 月 3 日最終閲覧）

ICOM, 2020a, Survey: Museums, Museum Professionals and COVID-19.（https://icom.museum/en/covid-19/surveys-and-data/survey-museums-and-museum-professionals/，2021 年 8 月 17 日最終閲覧）

――., 2020b, Follow-up Survey: the Impact of COVID-19 on the Museum Sector.（https://icom.museum/en/covid-19/surveys-and-data/follow-up-survey-the-impact-of-covid-19-on-the-museum-sector/，2021 年 9 月 3 日最終閲覧）

IFPI, 2021, IFPI issues Global Music Report 2021（https://www.ifpi.org/ifpi-issues-annual-global-music-report-2021/，2021 年 9 月 17 日最終閲覧）

Ikeda, M. and Morgner, C., 2021, Rearticulating Place and Virtual Space. An Exploratory

Netnographical Case Study on Hybrid Music Streaming: 'Cercle,' M. Garcia-Ruiz and J. Nofre (eds.), *EBook of Abstracts, II International Conference on Night Studies*, CIES-IUL, p.17.

Kozinets, R., 1997, "'I Want to Believe: A Netnography of the X-Philes' Subculture of Consumption," *Advances in Consumer Research* 24(1): 470-475.

KuK, 2020, COVID-19 Impact on the Cultural and Creative Industries in Germany.（https://kreativ-bund.de/wp-content/uploads/2020/05/Short_paper_Impact_Report_COVID_191.pdf，2021 年 9 月 17 日最終閲覧）

——., 2021, Betroffenheit der Kultur- und Kreativwirtschaft von der Corona-Pandemie.（https://kreativ-bund.de/wp-content/uploads/2021/03/Themendossier_Betroffenheit_KKW2021.pdf，2021 年 9 月 17 日最終閲覧）

Kulturpolitische Gesellschaft E.V, 2020, Kulturpolitik muss nachhaltig wirken-10Punkte für Kulturpolitik nach der Corona-Pandemie.（https://kupoge.de/pressearchiv/pressedok/2020/Kulturpolitik_nach_der_Corona-Pandemie.pdf，2021 年 9 月 3 日最終閲覧）

Montalto, V., Sacco, P. et al., 2020, European Cultural and Creative Cities in COVID-19 times, Publications Office of the European Union（https://publications.jrc.ec.europa.eu/repository/handle/JRC120876，2021 年 9 月 3 日最終閲覧）

Morgner, C., 2019, "Spatial Barriers and the Formation of Global Art Cities: The Case of Tokyo", International Journal of Japanese Sociology 28(1): 183-208.

UNESCO, 2020, COVID-19 Hits Culture Sector Even Harder Than Expected, Warns UNESCO.（https://en.unesco.org/news/covid-19-hits-culture-sector-even-harder-expected-warns-unesco，2021 年 9 月 3 日最終閲覧）

V.

新型コロナとポスト・コロナ学

11 新型コロナと社会の変化・連続性
——ポスト・コロナ学の構築に向けて

秋山　肇

はじめに

本書では、新型コロナが社会や人々の生活に与えた様々な影響を検討してきた。それぞれの章は異なる分野を扱っているが、いずれも新型コロナが社会や学問の在り方に与えた変化を示している。その上で、新型コロナによっても変化しなかった、従来からの連続性が存在したことも重要である。ポスト・コロナ時代の社会や学問の役割を検討する際には、異なる学問領域を横断する学際的な視点を基盤として、変化および連続性の双方を検討する必要がある。本章は、これまでの議論を踏まえ、ポスト・コロナ学の構築に向けて検討すべきいくつかの論点を紹介する。

1.「ポスト・コロナ学」とは

「ポスト・コロナ学」はさしあたり、「2020年以降の世界的な新型コロナ感染拡大による社会の変化と連続性を明らかにし、新たな社会の在り方や学問の役割を構想する学問」としておく。新型コロナと共存する社会に関しては「ウィズ・コロナ」との表現が使われることもあるが、新型コロナとの共存を志向する場合も、その後の社会を見据えるにしても、2020年以降新型コロナと向き合うことを強いられた経験が今後の社会を構想する基盤となるため、「ポスト・コロナ学」とした。この問題意識の根底には、新型コロナにより、社会に一定の変化があったとの認識がある[1)]。ここで特に重要なのはコロナ禍において、多くの人が生活に変化があったという認識を共有していることである。日本だけでなく世界の多くの人が、程度の差はあれ新型コロナによって生活の変化を経験している。昨今では社会に大きな影響を与えた事象として、2001 年米国同時多発テロや 2011 年東日本大震災などを挙げることができるが、新型コロナの特徴は、分野的にも地理的にも幅広い範囲に影響を与えていることである。分野的には、政治や経済、法といった制度に限らず、生活・文化を含む社会全般に影響を与えている。本書が法や政治、教育といった分野に加え、芸術や文化について扱う章があることにも、新型コロナの幅広い影響が反映されている。また地理的にも、日本だけでなくグローバルに大きな影響を与えており、昨今では稀有な経験といえる。

これまでも感染症は人類に大きな影響を与えてきた。その中で新型コロナを特に取り上げて、「ポスト・コロナ学」を構想する必要性に疑問を持つ読者もいるであろう。しかし新型コロナは、従来のパンデミックの経験とは異なる特徴を持ち、人々の生活に与える影響が大きい。その結果、社会の様々な前提に挑戦を投げかけている。そのため、従来の前提を問い直し、新たな社会の在り方を構想する基盤となるポスト・コロナ学を構想する必要がある。

---

1) 内閣府が 2020 年 5 月以降実施している「新型コロナウイルス感染症の影響下における生活意識・行動の変化に関する調査」によれば、新型コロナによって日々の行動や価値観が変化していることがわかる（https://www5.cao.go.jp/keizai2/wellbeing/covid/index.html, 2022 年 1 月 10 日最終閲覧）。なお、新型コロナに対応しなければならない現状が例外で、新型コロナの感染状況が収まればコロナ禍前の生活に戻るとの見解もありうる。たしかに感染状況によりコロナ禍前の生活様式が部分的に使われる可能性があるが、全般的に戻ることはないであろう。たとえばコロナ禍においてオンライン会議が頻繁に利用されるようになり、多くの人が移動の費用や時間が削減される利便性を実感した。そのため、新型コロナの感染状況が収まっても、会議がオンラインでまったく行われないという状況は想定しにくい。このように、部分的にはコロナ禍前の生活様式が取り入れられても、全体としては新たな社会が構想されると表現する方が的確なように思われる。また藻谷（2020: 264）は日本社会について、コロナ禍によっては変わらず、変わるとしても伝統回帰であろうと指摘している。本章筆者は外国を含めた「社会」一般について議論しており、関心は日本を含むものの日本に限ったものではないため、藻谷と議論の焦点が異なる。また上記の理由により、筆者はコロナ禍により社会の変化が観察されるであろうと考えている。

たとえば人類は、1918年から1920年にかけてスペイン・インフルエンザを経験している[2)]。しかし新型コロナには2つの意味で異なる側面がある。第一に、感染症が社会に直接与えた影響が大きく異なる点である。1918年から1920年は第一次世界大戦の最中であり、国際社会においてはスペイン・インフルエンザよりも第一次世界大戦への関心の方が高かった（クロスビー 2009: 394-399）。よってその後は、戦争の結果を基盤とした社会変動の方が重要な意味を持った。戦争によりパンデミックの問題が隠されていたのである[3)]。その一方で新型コロナにおいては、国際政治がパンデミックを利用している側面がある。グローバリゼーションが進む今日では、国家を超えたコミュニケーションが経済的にも大きな影響を持ち、国際政治が日常生活に直接影響する。たとえば国境を越えた移動を前提として社会が構築されているために、その制限は生活や文化といった分野にも大きな影響をもたらす。さらに、一地域で起きた感染症が各国に伝播するため、各国が感染症を安全保障における重要な問題として捉えるようになる。特に、新型コロナは米国と中国の国際政治的な問題を引き起こした（詫摩 2020: 141-142）。そのため、スペイン・インフルエンザと異なり、新型コロナがすぐに「忘れられたパンデミック」（クロスビー 2009）になることはないであろう。むしろ、この経験を基盤として新たな社会制度が構想されていく可能性が高い。世界保健機関（WHO）の総会である世界保健総会でパンデミック条約策定のための動きが加速化しているのはその一例である[4)]。

第二に、感染症に対応する際の科学技術の効果が異なる点である。新型コロナが感染拡大した2020年以降、対面に代わってオンライン会議システム

2）疫病が人類に与えてきた影響の歴史は、スノーデン（2021a; 2021b）参照。

3）日本においても、普通選挙法の施行や、大学令の施行により私立大学が大学として認められるなど、様々な社会の変化があった。そのためスペイン・インフルエンザが問題視されなかったとの指摘がある（速水 2006: 430-431）。

4）WHO "World Health Assembly agrees to launch process to develop historic global accord on pandemic prevention, preparedness and response"（https://www.who.int/news/item/01-12-2021-world-health-assembly-agrees-to-launch-process-to-develop-historic-global-accord-on-pandemic-prevention-preparedness-and-response, 2022年1月10日最終閲覧）

によるコミュニケーションが一般化した。重要なのは、こうした技術が人々の生活において使われているという実態である。オンライン会議システムの技術が存在していても、それが人々の生活の中で使われていなければ、社会に大きな影響を与えるとは限らない。オンライン会議システムが整備されている上で、従来の対面での接触が制限される事態に陥ったため、コミュニケーションの方法が変化したのである。スペイン・インフルエンザが感染拡大した際には、こうした技術がそもそも存在せず、感染対策は人ごみの回避に限られていたが、対策は徹底されていなかった（速水 2006: 432-433)。これは、スペイン・インフルエンザに対応する際に、社会活動に必要なコミュニケーションを取りつつ感染症対策を行うことが困難であったことを物語る。しかし今日では、非対面でコミュニケーションの手段を確保することが可能になった。

上記の二点は新型コロナが社会を変化させる契機となっていることを示している[5)]。この変化を的確に捉え、新たな社会や学問の在り方を構想するためにポスト・コロナ学の構築が必要になる。しかしポスト・コロナ学の構想には、変化に加えて連続性の視点も重要である。たとえば非対面のコミュニケーションが増加していると述べたが、すべてのコミュニケーションがオンライン化したわけではない。対面が避けられないエッセンシャルワーカーについては、その業務の重要性が再確認させられるとともに、その脆弱性さえも炙り出した。この事例は連続性として認識するべきであろう。このように変化と連続性双方を検討することが、ポスト・コロナの社会を構想するために必要である。

2. 新型コロナにより変わったこと――変化

それでは新型コロナにより何が変わったのだろうか。本書で扱った新型コロナによる変化を社会の実態、社会規範、社会で使用される科学技術の効果に整理して紹介する。

5） 新型コロナの文明史的な分析は、浜本（2020）参照。

社会の実態の変化として、移動や行動の制限および新たな経済・芸術活動の可能性が挙げられる。第一に、移動や行動の制限が課されることになった。国境を越える移動が困難になり（7章）、国内でもたとえば児童の在宅時間が増加し、児童の登校機会が制限されることとなった（5章）。また、特に緊急事態宣言発出により、高齢者の運動の機会が制限されたこともあった（4章）。第二に、こうした制限を克服して、新たな経済・芸術活動の可能性が認識されるようになった。在宅勤務が求められる状況が発生し（3章）、またオンライン会議システムを基盤とした芸術が創造され、芸術の方法論に変化をもたらしている（9章）。こうした新たな経済・芸術活動は、科学技術の進展によって見出されるものであることも重要な点である。

新型コロナによる社会規範の変化としては、公衆衛生観念の強化、迅速な科学による情報提供が挙げられる。第一に、新型コロナの影響で公衆衛生の重要性が認識されるようになった。新型コロナにより、日本の法体系の中でも公衆衛生の重要性が認識されるようになり、生命権に関する議論が展開されている（2章）。また、従来はマスクの使用が一般的でなかった英国やドイツでもマスクが使用されるようになっており、諸外国でも公衆衛生の重要性が社会規範として認識されつつあることを示している（8章）。第二に迅速な科学による情報提供が求められるようになっている。科学的知見を少しでも早く政策に反映させるために、コロナ禍はオープンサイエンスを推進する契機となった（1章）。また、社会の実態を明らかにするインターネット調査が盛んに行われるようになっており（1章）、この点は特に科学技術との関連でも重要である。

社会で使用される科学技術の効果としては、距離的制約からの解放および非対面コミュニケーションの促進が挙げられる。第一の距離的制約からの解放は、オンライン会議システムの普及により実現した。たとえば在宅勤務により、従来自明視されてきた通勤時間からの解放が可能になった（3章）[6]。また、9割の大学の授業がオンライン化され、教育の在り方も変化した（6章）。なお距離的制約からの解放は、私的空間が公的な目的のために使用さ

---

6) 先述のとおり、在宅勤務が困難な職業も多くあることには留意する必要がある。

れることにもつながり、その評価は慎重に行う必要がある。第二に非対面コミュニケーションの促進が挙げられる。たとえば従来芸術において観客とアーティストのコミュニケーションの機会は限られていたが、オンラインによって、非対面ではあるものの観客のリアクションを反映させて演劇が行われる事例もある（9章）。また、映像をオフにしてオンライン会議システムを利用した会議や授業に参加できることも（6章）、物理的、心理的障壁を下げて会議や授業に参加できるようになったことを意味している。これは、科学技術によって非対面コミュニケーションが促進されている一例といえよう。また科学技術は、従来困難であった膨大な量の情報を集約し、可視化することも可能にした。技術としてはコロナ禍以前から存在していたはずであるが[7]、実際に技術が人々の生活に使われることで社会が変化することを示している。

3. 新型コロナによっても変わらないこと――連続性

その一方で、新型コロナによっても変わらず、従来からの連続性として指摘できることも多くある。社会の実態、社会規範、人間の生来的な特徴の側面から紹介する。

社会の実態としては、都市を基盤とした社会、教育における一人ひとりへのきめ細やかなサポートの重要性が挙げられる。今日の社会の特徴として都市化が挙げられ（10章）、都市化は感染症のリスクを高めている一方で[8]、その傾向に大きな変化はない[9]。また個々人へのきめ細やかなケアも必要である。たとえば従来から行政による見守りが行われていた障害児への虐待報告

7） 必ずしも最新の技術ではなく、すでに開発され広く使用されている技術が新たな社会を形作ることは、任天堂でゲームボーイの開発に携わった横井軍平の「枯れた技術の水平思考」にも通じるところがある。牧野（2015）参照。

8） 都市と感染症への対策については西迫（2018）参照。

9） 東京23区内在住の20代のうち35%が地方移住への関心が高まったとアンケートに回答しており（https://www5.cao.go.jp/keizai2/wellbeing/covid/pdf/shiryo2.pdf, 8頁、2022年1月10日最終閲覧）、地方移住への関心は高まっているといえるが、都市の特徴自体を変化させるほどの影響を与えているとまではいえないであろう。

件数には大きな変化がなかった一方で、見守りの対象でない一般児への虐待報告件数は増加した（5章）。また障害学生に対応する際に各学生のニーズを把握してきめ細かく対応する必要性も指摘されており（6章）、福祉や教育における一人ひとりへのサポートの重要性は変わらない。

コロナ禍において変化していない社会規範としては、人権や文化の重要性が挙げられる。コロナ禍において自由と公衆衛生の関係については議論があるものの、人権規範の重要性は、変わっていない（2章）。また文化の重要性もコロナ禍前から認識されており、コロナ禍においてもその重要性が指摘されている（10章）。コロナ禍において新たな芸術活動が生まれていることは文化の重要性を示す例ともいえる。

新型コロナによっても変化が見られない人間の生来的な特徴としては、身体性、空間性が挙げられる。オンライン会議システムが普及しても、運動・栄養・社会参加の必要性が指摘されている（4章）。また教育の文脈で指摘されているように、空間を共有することによる学びがある（6章）。これは人間が、生物もしくは動物として、生存の基盤がその身体性にあり、空間を共有したコミュニケーションに大きな意味があることを示している。これらの人間の生来的な特徴は、コロナ禍における変化の科学技術の役割に関連させて議論することができる。すなわち、人間の生来的な特徴を科学技術で変化させる、もしくは克服することができるのか、という論点があるのである。さらに、人間の生来的な特徴を科学技術で克服するべきか、という論点もある。新型コロナによる変化と連続性をめぐっては、人間の在り方と科学技術の役割も含め、様々な知見を導入して複眼的に検討する必要がある。

4. ポスト・コロナ学の射程と学問の役割

表1は本書での検討を踏まえた、ポスト・コロナ学で検討すべき社会の変化と連続性の例であるが、網羅的な一覧ではない。新型コロナが与えた影響については様々な研究が行われており、こうした研究からも変化や連続性が明らかになる。また本書で扱った内容でも異なる問題意識のもと、異なる変化や連続性を見出すこともできるかもしれない。

表1　新型コロナによる変化・連続性の例

	変 化	連続性
社会の実態	移動や行動の制限、 新たな経済・芸術活動	都市を基盤とした社会、 教育におけるきめ細やかな サポートの重要性
社会規範	公衆衛生観念の強化、 迅速な科学による情報提供	人権、文化
科学技術の効果（変化）／ 人間の生来的特徴 （連続性）	距離的制約からの解放、 非対面コミュニケーション の促進	身体性、空間性

出典：筆者作成

本書が網羅できていない領域として、筆者の想定できる限りでも、たとえばウイルス学、感染症のグローバルレベルおよび国内レベルでのガバナンス（統治）、パンデミックにおける「不安」の社会学的な分析、パンデミックが経済に与える影響などが挙げられる。新型コロナや変異をウイルス学的に分析することはワクチンの開発に役立つであろうし、新たなパンデミックの際のワクチン開発や、そもそも人間がいかにウイルスと向き合うかを検討するために必要であろう[10)]。感染症の効果的なガバナンスについては、法学的・政治学的視点を導入し、グローバルレベルおよび国内レベル双方の視点で検討する必要がある[11)]。またコロナ禍においては「感染の不安／不安の感染」が社会やガバナンスを検討する際に重要な要素となっている（西田 2020)。社会の不安をいかに理解し、いかに向き合えるかを検討することが、パンデミックへの有効な対策のためには必要である。経済も重要な視点である。新型コロナは経済に大きな影響を与えており、感染症の経済的な影響や、感染症に対応するために経済の在り方を検討しなければならない[12)]。また先に触

10）新型コロナの経験を踏まえつつ、ウイルスの多様な役割に関する研究が進んでいる。河岡（2021）参照。

11）国際法を中心とした感染症のグローバル・ガバナンスの歴史については新垣（2021）参照。日本における新型コロナに関するガバナンスと専門家の役割については、武藤ほか（2021）参照。各国のガバナンスについては、Pieterse et al. eds.（2021）参照。

12）パンデミックに対応できる経済制度については、小林・森川編（2020）参照。

れた「エッセンシャルワーカー」や在宅勤務が様々な理由で困難である人の生活も理解する必要がある[13)]。今後さらに多様な視点・学問を含めてポスト・コロナ学を検討していく必要がある。

また、ポスト・コロナ学の射程は常に変化しうることには留意が必要である。そもそもコロナ禍がいつ終息するかわからず、何を終息とするかという問題もある。また、コロナ禍の最中においても知見は変わりうる。そのため、本章で紹介した新型コロナによる変化と連続性も、容易に変わりうるのである。刻一刻と状況が変化するなかで、研究者がコロナ禍を理解しようとする、もしくは今後のあるべき姿を提示しようとする姿を社会と共有しつつ、新たな社会の在り方を検討していくのがポスト・コロナ時代における学問の役割であるように思われる。異なる学問の知見を統合することで明らかになる変化や連続性は、ポスト・コロナ社会の本質を示す特徴となる。学際的な視点で社会の実態、社会規範、科学技術や人間の生来的な特徴について検討し直すことで、ポスト・コロナの社会像が見えるはずである。

おわりに

最後に、本章のディスカッション・クエスチョンを提示したい。「新型コロナによって（最も大きく）変化したことは何か。新型コロナによっても変化しなかったことは何か」である。多くの人が新型コロナの影響を受けているとはいえ、受けている影響は一人ひとり異なる。それぞれが受けた経験をもとに、何が変化したのか、何が最も大きく変化したのか、何が変化しなかったのかを検討することは、新型コロナの影響を包括的に明らかにするために重要である。その上で、それぞれの変化や連続性が望ましいものであるか、それとも望ましくないものであるかを検討することも有意義であろう。自らにとっての望ましい変化が、他者にとっては望ましくない変化かもしれない。その逆も然りである。こうした変化と連続性を理解し、多様な現実を知ることで、ポスト・コロナ社会の在り方が構想されていくであろう。

13）たとえば在宅勤務とDVに関する事例については、飯島（2021: 56-60）参照。

※糸井風音氏（筑波大学 社会・国際学群 社会学類４年）に原稿へのコメントをいただいた。感謝申し上げる。

参考文献

新垣修 2021『時を漂う感染症――国際法とグローバル・イシューの系譜』慶應義塾大学出版会

飯島裕子 2021『ルポ コロナ禍で追いつめられる女性たち――深まる孤立と貧困』光文社新書

河岡義裕編 2021『ネオウイルス学』集英社新書

クロスビー，アルフレッド・W 2009『史上最悪のインフルエンザ――忘れられたパンデミック［新装版］』みすず書房

小林慶一郎・森川正之編 2020『コロナ危機の経済学――提言と分析』日本経済新聞出版

スノーデン，フランク・M 2021a『疫病の世界史（上）――黒死病・ナポレオン戦争・顕微鏡』桃井緑美子、塩原通緒訳、明石書店

――. 2021b『疫病の世界史（下）――消耗病・植民地・グローバリゼーション』桃井緑美子、塩原通緒訳、明石書店

詫摩佳代 2020『人類と病――国際政治から見る感染症と健康格差』中公新書

牧野武文 2015『任天堂ノスタルジー――横井軍平とその時代』角川新書

西迫大祐 2018『感染症と法の社会史――病がつくる社会』新曜社

西田亮介 2020『コロナ危機の社会学――感染したのはウイルスか、不安か』朝日新聞出版

浜本隆志 2020『ポスト・コロナの文明論――感染症の歴史と近未来の社会』明石書店

速水融 2006『日本を襲ったスペイン・インフルエンザ――人類とウイルスの第一次世界戦争』藤原書店

武藤香織・磯部哲・米村滋人・曽我部真裕・佐藤信・山本龍彦 2021「［座談会］コロナ対策における専門家と／の政治」『法律時報』93(12): 7-29.

藻谷浩介 2020「新型コロナウイルスで変わらないもの・変わるもの」村上陽一郎編『コロナ後の世界を生きる――私たちの提言』岩波新書、258-279 頁

Pieterse, J. N., Lim, H. and Khondker, H. (eds.), 2021, *Covid-19 and Governance: Crisis Reveals,* Routledge. Kindle Edition.

おわりに

2020年初頭に新型コロナが社会的な問題になってから2年が経つ。2020年から2021年は、新型コロナに翻弄される2年間であった。2022年1月初旬の時点では、世界的に変異したオミクロン株の感染が拡大している。当初は南アフリカで発見され、外国の限定的な地域にのみ感染が広がっていると言われていたが、外国から日本への帰国者にオミクロン株への感染者が報告され、その後日本各地での市中感染が報告されている。日本では感染状況が一定の落ち着きを見せており、重症化しにくいとの見解もあるものの、予断は許さない。2022年以降、新型コロナが社会に与える負の影響が限定されたものであることを期待したいが、新型コロナが2年間社会に与えてきた影響はあまりに大きい。また新型コロナ自体の感染拡大は抑えられたとしても、今後人獣共通感染症が増加する可能性が指摘されていることを考えると、コロナ禍で学んだ教訓を今後に活かしていく必要がある。本書がポスト・コロナ社会について考える契機になれば幸いである。

本書は、2021年8月から12月にかけて脱稿した原稿が基盤になっている。本書の刊行予定である2022年4月には脱稿時から状況が変化している可能性が高い。しかし感染拡大初期から行ってきた研究には、今後の新型コロナや感染症対策を検討する際に考慮すべき有益な知見が含まれているはずである。その上で、今後情報をアップデートし、状況の変化に応じてその都度考え直すことが必要であろう。

本書は多くの方々の支えによって刊行に至った。本書の結びに感謝の言葉を述べたい。まず、執筆者に敬意を表したい。執筆者の皆さんには、2021年度春学期に筑波大学で開講した「TSUKUBA新型コロナ社会学」の担当を打診した2020年11月からご協力いただいている。最新の研究を学生の教育にそのまま活かしたいとの思いに共感してくださる多様な分野の研究者にご協力いただけたことを光栄に思う。授業に加え、さらに多くの人に知見を共有できる書籍の制作という形で共に仕事ができたことを嬉しく思っている。2022年度以降は「TSUKUBAポスト・コロナ学」として開講する授業において、本書を基盤として学生も含めて対話できることを楽しみにしている。

続いて、筑波大学のリサーチ・アドミニストレーター（URA）の皆さんに感謝申し上げる。本書は、URAの皆さんが企画された「新型コロナウイルス緊急対策のための大学『知』活用プログラム」が基盤になっており、このプログラム無くして本書の構想は生まれなかった。URAの皆さんの発想力と実行力に敬意を表する。「新構想大学」である筑波大学の研究者として、学際的なネットワークが形成され新たな知を構築しつつあることを嬉しく思う。

編集者である明石書店の遠藤隆郎氏に御礼申し上げる。遠藤氏には2021年5月に本書の構想をご相談して以降、本書の趣旨に共感していただき、献身的にご尽力いただいた。また編者を含む執筆者の原稿に有益なコメントや提案をいただいた。タイトなスケジュールの中で粘り強く、また丁寧に本書をご担当いただいたことに感謝している。

最後に（英語でしばしばlast but not leastと表現されるように、決して上記の方々よりも感謝の度合いが低い訳ではないことを強調した上で）、読者の皆さんに感謝申し上げる。編者にとって最も大きな仕事は、異なる分野に共通する知見を導き出すように試みることであった。そこで各章にそれぞれの分野の前提やディスカッション・クエスチョンを記載するように執筆者に依頼し、またポスト・コロナ学を構想する際に検討すべき点を第11章にまとめた。この試みが今後の社会や学問について考える基盤になることを願っているが、読者の皆さんに忌憚のないご意見を頂戴できれば幸いである。ポスト・コロナ学はこれから新しくつくられる学問分野である。多様な読者の皆さんの議論を通してポスト・コロナ学が作り上げられていく。ぜひ皆さんに議論に加わっていただき、新たな社会や学問のあり方を共に構想していきたい。新型コロナによる負の影響が少しでも抑えられることを願いつつ。

編 者　秋山　肇

【執筆者紹介】五十音順

明石純一（あかし・じゅんいち） 7章
筑波大学人文社会系教授
専門：移民研究・国際政治経済学
主な著書：『入国管理政策――「1990年体制」の成立と展開』ナカニシヤ出版、2010年、『人の国際移動は管理されうるのか――移民をめぐる秩序形成とガバナンス構築』ミネルヴァ書房、2020年。

秋山　肇（あきやま・はじめ） 2章・11章
※編者紹介欄参照

池田真利子（いけだ・まりこ） 10章
筑波大学芸術系助教
専門：人文地理学・都市芸術学
主な論文：「ジェントリフィケーションの過程からみた文化・消費の役割――旧西ベルリン市ノイケルン区ロイター街区を事例として」『地理学評論 Series A』91(4): 281-310（2018年）、「『アーバンスタディーズ』より「序論：都市の夜の地理」」『地理空間』11(2): 145-164（2018年）。

内田　亨（うちだ・とおる） 3章
新潟国際情報大学経営情報学部教授
専門：経営学
主な著書・論文：「ワーク・ファミリー・コンフリクト――コロナ禍における女性を取り巻く状況を中心に」長谷川信次編著『コロナ下の世界における経済・社会を描く――ロックダウン・イン・パリ体験を通して』同文館出版、2021年、103-120頁（共著）、"Organizational Virtuousness, Subjective Well-Being, and Job Performance: Comparing Employees in France and Japan," *Asia-Pacific Journal of Business Administration* 12(2): 115-138（2020, 共著）.

大村美保（おおむら・みほ） 5章
筑波大学人間系助教
専門：障害者福祉
主な著書・論文：「発達障害に対する行政的サポート」『診断と治療』107(11): 1317-1321（2019年、共著）、「地域生活支援に関する諸研究――障害福祉領域における実態調査から」生島浩編『触法障害者の地域生活支援――その実践と課題』金剛出版、2017年、55-68頁。

大茂矢由佳（おおもや・ゆか） 7章
筑波大学人文社会科学研究群博士後期課程・日本学術振興会特別研究員DC2
専門：メディア研究
主な論文：「ツイッターに表出される対外国人感情――ハッシュタグで紐付けされた日本語ツイートの量的テキスト分析から」『移民政策研究』13: 126-141（2021年）、"Data Visualization of Texts in the Transitions of Framing Indochinese Refugees by Japanese Television Documentaries," *Quality & Quantity* 54(4): 1363-1384（2020, 共著）.

オルシニ・フィリップ（おるしに・ふぃりっぷ，Philippe ORSINI） 3章
日本大学経済学部教授
専門：経営学
主な著書・論文：「ワーク・ファミリー・コンフリクト――コロナ禍における女性を取り巻く状況を中心に」長谷川信次編著『コロナ下の世界における経済・社会を描く――ロックダウン・イン・パリ体験を通して』同文館出版、2021年、103-120頁（共著）、"Designing Jobs to Make Employees Happy? Focus on Job Satisfaction First," *Social Science Japan Journal* 22(1): 85-107 (2019，共著).

金井達也（かない・たつや） 7章
筑波大学人文社会科学研究群博士後期課程・元財務省およびアジア開発銀行
専門：留学生施策・支援

佐々木銀河（ささき・ぎんが） 6章
筑波大学人間系准教授
専門：障害科学
主な論文：「発達障害とダイバーシティ」『IDE 現代の高等教育』614: 53-57（2019年）、「筑波大学発達障害学生支援（RADD）プロジェクトの取組――階層的支援モデルによる修学支援」『LD研究』28(4): 419-425（2019年、共著）。

谷口綾子（たにぐち・あやこ） 8章
筑波大学システム情報系社会工学域教授
専門：都市交通計画、交通工学、リスクコミュニケーション
主な著書：『モビリティをマネジメントする――コミュニケーションによる交通戦略』学芸出版社、2015年（共編著）、「自動運転システムの社会的受容」上出寛子編著『モビリティ・イノベーションの社会的受容――技術から人へ、人から技術へ』北大路書房、2022年。

ベントン・キャロライン（べんとん・きゃろらいん，Caroline BENTON） 3章
筑波大学副学長／同大学ビジネスサイエンス系教授
専門：経営学
主な著書・論文：「ワーク・ファミリー・コンフリクト――コロナ禍における女性を取り巻く状況を中心に」長谷川信次編著『コロナ下の世界における経済・社会を描く――ロックダウン・イン・パリ体験を通して』同文館出版、2021年、103-120頁（共著）、"Organizational Virtuousness, Subjective Well-Being, and Job Performance: Comparing Employees in France and Japan," *Asia-Pacific Journal of Business Administration* 12(2): 115-138 (2020，共著).

堀　愛（ほり・あい） 1章
筑波大学医学医療系国際社会医学研究室助教
専門：公衆衛生学、疫学、産業医学
主な論文："Factors Associated with Participation in An Ongoing National Catch-Up Campaign Against Rubella: A Cross-Sectional Internet Survey Among 1680 Adult Men in Japan," *BMC Public Health* 21(1): 292 (2021，共著), "Rapid Increase in Heated Tobacco Product (HTP) Use From 2015 to 2019: From the Japan 'Society and New Tobacco' Internet Survey (JASTIS)," *Tobacco Control* 30(4): 474-475 (2020，共著).

マニエ-渡邊馨子
（まにえ-わたなべ・かおるこ，Kaoruko MAGNIER-WATANABE） 3章
ハーバード大学大学院エクステンションスクール修士課程
専門：心理学
主な著書・論文：「ワーク・ファミリー・コンフリクト――コロナ禍における女性を取り巻く状況を中心に」長谷川信次編著『コロナ下の世界における経済・社会を描く――ロックダウン・イン・パリ体験を通して』同文館出版、2021年、103-120頁（共著）、"COVID-19 and Stay-At-Home Orders: Effects on Gender Roles and Work Family Conflicts Among Japanese Regular Employees," Proceedings of the 13th Conference of the International Academy of Strategic Management (IASM) 2020, Tokyo (Japan)（共著）.

マニエ-渡邊レミー
（まにえ-わたなべ・れみー，Remy MAGNIER-WATANABE） 3章
筑波大学ビジネスサイエンス系准教授
専門：国際経営学
主な著書・論文：「ワーク・ファミリー・コンフリクト――コロナ禍における女性を取り巻く状況を中心に」長谷川信次編著『コロナ下の世界における経済・社会を描く――ロックダウン・イン・パリ体験を通して』同文館出版、2021年、103-120頁（共著）、"Organizational Virtuousness, Subjective Well-Being, and Job Performance: Comparing Employees in France and Japan," *Asia-Pacific Journal of Business Administration* 12(2): 115-138（2020, 共著）.

宮本道人（みやもと・どうじん） 9章
筑波大学システム情報系研究員
専門：応用文学
主な著書：『SF思考――ビジネスと自分の未来を考えるスキル』ダイヤモンド社、2021年（共編著）、『SFプロトタイピング――SFからイノベーションを生み出す新戦略』早川書房、2021年（監修・共編著）。

山田　実（やまだ・みのる） 4章
筑波大学人間系教授
専門：老年学
主な著書：『イチからわかる！ サルコペニアQ&A』医歯薬出版、2019年、『イチからわかる！ フレイル・介護予防Q&A』医歯薬出版、2021年。

【編者紹介】
秋山　肇（あきやま・はじめ）
筑波大学人文社会系助教
専門：憲法、国際法、平和研究、無国籍研究
主な著書・論文：「COVID-19 対策と日本国憲法が保障する人権──新型インフルエンザ等対策特別措置法に着目して」[version 2; peer review: 2 approved]『F1000Research』10: 230（2021 年）、「日本に在留する外国人の人権」万城目正雄・川村千鶴子編『インタラクティブゼミナール 新しい多文化社会論──共に拓く共創・協働の時代』東海大学出版部、2020 年、25-39 頁。

ポスト・コロナ学
——パンデミックと社会の変化・連続性、そして未来

2022年4月20日　初版第1刷発行

編　者　秋　山　肇
発行者　大江　道雅
発行所　株式会社　明石書店
〒101-0021 東京都千代田区外神田6-9-5
電話 03（5818）1171
FAX 03（5818）1174
振替　00100-7-24505
https://www.akashi.co.jp/
装丁　明石書店デザイン室
印刷／製本　日経印刷株式会社

（定価はカバーに表示してあります）　ISBN978-4-7503-5374-6